Le 22 MAI 2003

Salut Paul

En espérant que le péché de
Gourmandise te feras profiter
Joyeusement de ta retrait
bien méritée.

Bonne retrait

Denis Leclerc

JE CUISINE

Les gâteaux

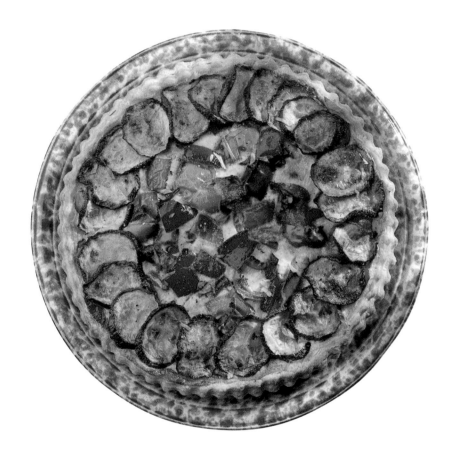

Emma Patmore

Ouvrage publié par Parragon Publishing
Édition publiée en 2002
Parragon Publishing
Queen Street House
4 Queen Street
Bath
BA1 1HE, UK

ISBN : 0-75253-655-9

Imprimé en Chine

Édité par Haldane Mason, Londres

Maquette : Ron Samuels
Directeur de la rédaction : Sydney Francis
Conseiller en rédaction : Christopher Fagg
Rédactrice en chef : Jo-Anne Cox
Rédactrice : Felicity Jackson
Conception : Digital Artworks Partnership Ltd
Photographie : Iain Bagwell
Spécialiste en économie domestique : Emma Patmore
Traduction : Atlas Translations, Cambridge, Royaume-Uni.

Note

Il est considéré qu'une tasse correspond à une tasse américaine,
une cuillère à soupe correspond à 15 ml. Sauf indication contraire,
le lait utilisé est du lait entier, les œufs sont de taille moyenne (calibre 3)
et le poivre est du poivre noir fraîchement moulu.

Sommaire

Introduction

Cet ouvrage merveilleuse-ment illustré vous apporte tous les conseils requis pour recréer vos recettes traditionnelles favorites. Il vous livre également les secrets de certains ingrédients contemporains originaux dis-ponibles dans la plupart des grands supermarchés.

Les instructions claires, étape par étape, vous guident à travers les techniques requises pour réaliser les recettes les plus fameuses tant appréciées au fil des générations.

RECETTES FAMILIALES

Au chapitre 1, savourez le plaisir sucré d'une merveilleuse sélection de desserts servis au quotidien ou pour les grandes occasions à travers les recettes riches, moelleuses et irrésistibles comme la pavlova, le crumble aux fruits, la reine des puddings et autres gâteaux moelleux au chocolat. Chacun trouvera sûrement une recette à son goût.

Ce chapitre vous aide égale-ment à parfaire vos pâtes pour garantir le succès des recettes clas-siques comme la tarte à la mélasse, la tarte tatin, la frangi-pane aux abricots et aux canneberges, et la tarte aux œufs.

PAINS ET METS SALÉS

Faire son pain chez soi, c'est amusant et cette activité vous permet d'expérimenter avec toutes sortes d'ingrédients comme les tomates séchées au soleil, l'ail, la mangue, et l'huile d'olive pour réaliser de savoureuses variantes de pains modernes.

Le chapitre 2 vous montre également comment varier vos plats favoris en adaptant avec un certain piquant les quiches, tourtes, et scones traditionnels, et vous propose des scones au fromage et à la moutarde, un savoureux gâteau au fromage, une tarte à l'oignon, et de somptueuses tourtes au céleri et à l'oignon.

CUISINE VÉGÉTARIENNE

Le chapitre 3 vous présente de délicieuses recettes végétariennes regorgeant d'ingrédients sains qui n'ont rien à envier aux recettes traditionnelles. Parmi ces recettes, on retrouve la quiche aux lentilles et au poivron rouge, la tarte aux dattes et aux abricots, le gâteau renversé à l'ananas, et la tourte aux noix du Brésil et aux champignons.

GÂTEAUX ET BISCUITS

Les chapitres 4 et 5 montrent comment transformer les gâteaux et biscuits traditionnels en desserts extraordinaires en adaptant de façon originale les fameuses pâtisseries servies à l'heure du thé.

Des recettes de gâteaux irrésistibles comme le gâteau marbré au chocolat, le gâteau à l'huile d'olive, aux fruits et aux noix, le pain d'épice, et les meringues, sont incluses avec d'autres recettes de biscuits tout aussi savoureux comme les cookies au chocolat et les biscuits au gingembre. Ces recettes sont rapides et faciles et seront appréciées par tous les membres de la famille.

RÉALISATION DES GÂTEAUX

Comme dans toutes les recettes de pâtisseries, certains principes de base doivent être observés et conviennent particulièrement à la réalisation des gâteaux.

- Commencez par lire la recette en entier.

- Pesez tous les ingrédients avec précision et effectuez la préparation de base (râpez, hachez) avant de commencer à cuisiner.

- Les éléments de base doivent être conservés à température ambiante.

- Les mélanges "malaxés", c'est-à-dire lorsque le beurre et le sucre sont travaillés ensemble, doivent être presque blancs et de consistance crémeuse. Le travail peut se faire à la main avec un fouet, mais est plus rapide et plus facile avec un mixeur électrique.

- Pour les mélanges "incorporés", utilisez une cuillère ou une spatule en métal et travaillez la farine ou les ingrédients secs le plus délicatement possible en faisant un mouvement en forme de 8.

- Ne sortez pas le gâteau du four tant qu'il n'est pas parfaitement cuit. Pour tester la cuisson, appuyez légèrement sur le gâteau du bout des doigts – le gâteau doit être moelleux au toucher. Sinon, piquez une aiguille en acier au centre du gâteau – si elle ressort propre, le gâteau est cuit.

- Laissez refroidir les gâteaux dans leurs moules avant de les démouler avec précaution sur une grille pour les laisser refroidir complètement.

TOURTES ET TARTES

Pour réaliser les recettes de tourtes ou de tartes de cet ouvrage, suivez ces principes de base :

- Tamisez les ingrédients secs dans un grand saladier, ajoutez le beurre coupé en morceaux, et mélangez-le à la farine.

- Incorporez délicatement et progressivement le beurre en l'effritant du bout des doigts jusqu'à ce que le mélange ressemble à de la semoule, élevez les mains pour aérer le mélange à mesure que vous le laissez retomber dans le saladier.

- Liez la pâte en ajoutant de l'eau ou tout autre liquide glacé(e) en quantité juste suffisante pour obtenir une pâte souple. Enveloppez la pâte et réfrigérez-la pendant au moins 30 minutes.

Recettes familiales

Un repas n'est pas complet sans dessert et ce chapitre met à la portée du lecteur toute une collection de recettes familiales savoureuses particulièrement appréciées. Puddings aux fruits, au chocolat, au citron, ou recouverts de pâte sablée – tous se réalisent avec plaisir et facilité et se mangent avec délice. Ce chapitre livre également quelques recettes-surprises à l'ancienne, et vous laisse dans l'embarras du choix ; par quoi commencer ? par le cobbler aux prunes ou les tartelettes à la frangipane au citron vert ?

Une pâte moelleuse, granulée, qui fond dans la bouche est la clé du succès pour une grande variété de plats superbes. La pâte brisée (pâte à tourte) est utilisée dans ce chapitre dans plusieurs recettes et il convient de rappeler qu'une pâte préparée en douceur donne de biens meilleurs résultats.

La recette mentionne parfois une "pâte brisée achetée toute prête" et une "pâte feuilletée achetée toute prête" ; en effet, la qualité obtenue dans le commerce est excellente et permet de gagner du temps dans certaines recettes.

Pudding d'Ève

Apprécié de tous, ce pudding se compose
de pommes moelleuses recouvertes d'une génoise légère.

Pour 6 personnes

INGRÉDIENTS

450 g/ 1 lb de pommes à cuire,
épluchées, cœur enlevé et coupées
en tranches
75 g/ 2³/₄ onces/ ¹/₃ tasse de sucre
semoule
1 cuil. à soupe de jus de citron

50 g/ 1³/₄ onces/ ¹/₃ tasse de raisins
secs (raisins de Smyrne)
75 g/ 2³/₄ onces/ ¹/₃ tasse de beurre
75 g/ 2³/₄ onces/ ¹/₃ tasse de sucre en
poudre
1 œuf, battu

150 g/ 5¹/₂ onces/ 1¹/₄ tasses de farine
avec poudre levante
3 cuil. à soupe de lait
25 g/ 1 once/ ¹/₄ tasse d'amandes
effilées
crème anglaise ou crème épaisse
pour servir

1 Beurrez un plat de 850 ml/ 1½
pintes/ 3½ tasses allant au four.

2 Mélangez les pommes avec le sucre,
le jus de citron et les raisins secs
(raisins de Smyrne). À l'aide d'une cuillère,
versez le mélange dans le plat beurré.

3 Dans un récipient, travaillez le
beurre et le sucre en poudre
jusqu'à ce que vous obteniez un mélange
pâle. Ajoutez l'œuf progressivement.

4 Incorporez délicatement la farine
avec poudre levante et versez le

lait pour obtenir une pâte lisse
onctueuse qui tombe de la cuillère.

5 Étalez la pâte sur les pommes
et parsemez d'amandes effilées.

6 Faites cuire dans un four
préchauffé à 180°C/ 350°F/
Thermostat 4, pendant 40-45 minutes
environ, jusqu'à ce que le pudding soit
doré.

7 Servez le pudding très chaud,
accompagné de crème anglaise
ou de crème fraîche épaisse.

MON CONSEIL

Pour accentuer le parfum
des amandes utilisées dans
cette recette, ajoutez 25 g/
1 once/ ¹/₄ tasse de poudre
d'amandes à la farine à l'étape n°4.

Reine des puddings

Une version légèrement différente pour cette recette à l'ancienne bien connue avec
l'ajout de zeste et de confiture d'orange pour donner un délicieux parfum d'orange.

Pour 8 personnes

INGRÉDIENTS

600 ml/ 1 pinte/ 2¹/₂ tasses de lait
25 g/ 1 once/ 6 cuil. à café de beurre
225 g/ 8 onces/ 1¹/₄ tasses de sucre en
  poudre

zeste finement râpé d'une orange
4 œufs (jaunes et blancs séparés)
75 g/ 2³/₄ onces/ ³/₄ tasse de chapelure
  fraîche

1 pincée de sel
6 cuil. à soupe de confiture d'orange

1   Beurrez un plat de 1,5 litres/
2³/₄ pintes/ 6 tasses allant au four.

2   Pour préparer la crème anglaise,
faites chauffer le lait dans une
casserole avec le beurre, 50 g/ 1³/₄ onces/
¹/₄ tasse de sucre en poudre et le zeste
d'orange râpé, jusqu'à ce que vous
obteniez un mélange juste tiède.

3   Fouettez les jaunes d'œufs dans un
saladier. Versez progressivement le
lait tiède sur les œufs en remuant.

4   Incorporez la chapelure dans la
casserole puis transférez la
préparation dans le plat beurré et laissez
reposer 15 minutes.

5   Faites cuire dans un four
préchauffé à 180°C/ 350°F/
Thermostat 4, pendant 20-25 minutes
jusqu'à ce que la crème soit juste
ferme. Sortez la crème du four mais
laissez le four allumé.

6   Pour la meringue, montez les
blancs d'œufs en neige avec une
pincée de sel. Ajoutez le reste du sucre
progressivement tout en battant avec
le fouet.

7   Étalez la confiture d'orange sur
la crème cuite. Recouvrez avec la
meringue en l'étalant jusqu'aux bords
du plat.

8   Remettez le pudding au four et
faites cuire encore 20 minutes,
jusqu'à ce que la meringue soit
croustillante et dorée.

MON CONSEIL

Si vous préférez une meringue plus
croustillante, faites cuire le pudding
au four 5 minutes de plus.

Pudding au pain et au beurre

Pudding traditionnel plein de fruits et d'épices.
La meilleure façon d'utiliser des restes de pain rassis.

Pour 6 personnes

INGRÉDIENTS

200 g/ 7 onces de pain blanc en tranches
50 g/ 1³/₄ onces/ 10 cuil. à café de beurre
ramolli
25 g/ 1 once/ 2 cuil. à soupe de raisins
secs (raisins de Smyrne)

25 g/ 1 once d'écorces confites
mélangées
600 ml/ 1 pinte/ 2¹/₂ tasses de lait
4 jaunes d'œufs

75 g/ 2³/₄ onces/ ¹/₃ tasse de sucre en
poudre
¹/₂ cuil. à café d'épices mélangées
(allspice) en poudre

1 Beurrez un plat de 1,2 litre/ 2 pintes/ 5¹/₃ tasses allant au four.

2 Enlevez la croûte du pain (facultatif), tartinez de beurre et coupez en quartiers.

3 Disposez la moitié des tranches de pain beurré dans le plat préparé. Garnissez avec la moitié des raisins secs (raisins de Smyrne) et des écorces confites mélangées.

4 Placez le reste des tranches de pain sur les fruits secs puis parsemez le reste des fruits.

5 Pour préparer la crème anglaise, faites chauffer le lait dans une casserole presque jusqu'à ébullition. Fouettez les jaunes d'œufs et le sucre ensemble dans un saladier puis versez le lait chaud.

6 Passez la crème anglaise chaude dans un tamis. Versez la crème anglaise sur les tranches de pain.

7 Laissez reposer 30 minutes, puis saupoudrez les épices mélangées (allspice) en poudre.

8 Placez le plat allant au four dans un plat à rôtir à moitié rempli d'eau chaude.

9 Faites cuire dans un four préchauffé à 200°C/ 400°F/ Thermostat 6, pendant 40-45 minutes, jusqu'à ce que le pudding soit ferme. Servez chaud.

MON CONSEIL

Ce pudding peut être préparé à l'avance jusqu'à l'étape n° 7 puis mis de côté jusqu'au moment de le faire cuire.

Cobbler aux prunes

Ce dessert renommé peut être adapté en utilisant toutes sortes de fruits si vous ne trouvez pas de prunes.

Pour 6 personnes

INGRÉDIENTS

1 kg/ 2¼ lb de prunes, dénoyautées et coupées en tranches
100 g/ 3½ onces/ ⅓ tasse de sucre en poudre
1 cuil. à soupe de jus de citron

250 g/ 9 onces/ 2¼ tasses de farine
75 g/ 2¾ onces/ ⅓ tasse de sucre semoule
2 cuil. à café de levure chimique
1 œuf battu

150 ml/ ¼ de pinte/ ⅔ tasse de babeurre
75 g/ 2¾ onces/ ⅓ tasse de beurre fondu et refroidi
crème épaisse, pour servir

1 Beurrez légèrement un plat de 2 litres/ 3½ pintes/ 8 tasses allant au four.

2 Dans un grand saladier mélangez ensemble les prunes, le sucre en poudre, le jus de citron et 25 g/ 1 once/ ¼ tasse de farine.

3 Avec une cuillère garnissez le fond du plat beurré de prunes enrobées.

4 Mélangez le reste de la farine, le sucre semoule et la levure chimique dans un saladier.

5 Ajoutez l'œuf battu, le babeurre et le beurre fondu refroidi. Travaillez le tout délicatement pour obtenir une pâte souple.

6 Disposez des cuillerées de pâte sur le mélange de fruits jusqu'à ce qu'il soit presque recouvert.

7 Faites cuire dans un four préchauffé à 190°C/ 375°F/ Thermostat 5, pendant 35-40 minutes, jusqu'à ce que le cobbler soit doré et bouillant.

8 Servez ce pudding très chaud avec de la crème épaisse.

MON CONSEIL

Si vous ne trouvez pas de babeurre, utilisez de la crème aigre.

Pudding aux mûres

Un dessert délicieux à préparer lorsque les mûres sont en pleine saison ! Si vous n'avez pas de mûres,
utilisez d'autres fruits, tels que groseilles, cassis ou groseilles à maquereau.

Pour 4 personnes

INGRÉDIENTS

450 g/ 1 lb de mûres
75 g/ 2³/₄ onces/ ¹/₃ tasse de sucre en poudre
1 œuf

75 g/ 2³/₄ onces/ ¹/₃ tasse de sucre roux
75 g/ 2³/₄ onces/ ¹/₃ tasse de beurre fondu

8 cuil. à soupe de lait
125 g/ 4¹/₂ onces de farine avec poudre levante

1 Beurrez légèrement un grand plat de 850 ml/ 1½ pinte/ 3½ tasses allant au four.

2 Dans un grand saladier, mélangez délicatement les mûres et le sucre en poudre jusqu'à ce que vous obteniez un mélange homogène.

3 Versez la préparation de mûres et de sucre dans le plat allant au four.

4 Battez l'œuf et le sucre roux dans un autre saladier. Ajoutez le beurre fondu et le lait et remuez.

5 Tamisez la farine et versez dans le mélange d'œuf et de beurre, puis travaillez délicatement le tout pour former une pâte molle lisse.

6 Étalez soigneusement la pâte sur le mélange de mûres et de sucre dans le plat allant au four.

7 Faites cuire le pudding dans un four préchauffé à 180°C/ 350°F/ Thermostat 4, pendant environ 25-30 minutes, jusqu'à ce que le dessus du gâteau soit ferme et doré.

8 Saupoudrez un peu de sucre sur le pudding et servez chaud.

VARIANTE

Vous pouvez ajouter deux cuil. à café de cacao en poudre à la pâte à l'étape n° 5, si vous préférez un parfum chocolat.

Sablé aux framboises

*Pour ce délicieux dessert estival, deux sablés ronds et croustillants
sont fourrés de framboises fraîches et de crème légèrement fouettée.*

Pour 8 personnes

INGRÉDIENTS

175 g/ 6 onces/ 1¹/₂ tasses de farine
avec poudre levante
100 g/ 3¹/₂ onces/ ¹/₃ tasse de beurre
coupé en cubes
75 g/ 2³/₄ onces/ ¹/₃ tasse de sucre en
poudre

1 jaune d'œuf
1 cuil. à soupe d'eau de rose
600 ml/ 1 pinte/ 2¹/₂ tasses de crème,
légèrement fouettée
225 g/ 8 onces de framboises, plus
quelques-unes pour le décor

POUR LE DÉCOR :
sucre glace
feuilles de menthe

1 Beurrez légèrement deux plaques à pâtisserie.

2 Pour préparer les sablés, tamisez la farine et versez dans un saladier.

3 Incorporez le beurre dans la farine en l'effritant du bout des doigts jusqu'à ce que vous obteniez un mélange qui ressemble à de la chapelure.

4 Versez le sucre, le jaune d'œuf et l'eau de rose dans la préparation et travaillez le tout avec les doigts jusqu'à ce que vous obteniez une pâte souple. Divisez la pâte en deux.

5 Étalez chaque morceau de pâte au rouleau en une abaisse ronde de 20 cm/ 8 pouces, puis déposez chaque abaisse sur une plaque à pâtisserie beurrée. Pincez les bords de la pâte.

6 Faites cuire dans un four préchauffé à 190°C/ 375°F/ Thermostat 5, pendant 15 minutes, jusqu'à ce que les sablés soient dorés. Transférez les sablés sur une grille et laissez refroidir.

7 Mélangez la crème avec les framboises et recouvrez un des sablés avec cette préparation à l'aide d'une cuillère. Placez l'autre sablé dessus, saupoudrez de sucre glace et décorez avec les framboises réservées et les feuilles de menthe.

MON CONSEIL

Ce sablé peut être préparé plusieurs jours à l'avance et conservé dans une boîte hermétique jusqu'au moment de servir.

Pavlova

Ce délicieux gâteau meringué est d'origine australienne. Servez-le avec des fruits âpres pour équilibrer le goût sucré de la meringue.

Pour 6 personnes

INGRÉDIENTS

3 blancs d'œufs
1 pincée de sel
175 g/ 6 onces/ ³/₄ tasse de sucre en poudre

300 ml/ ¹/₂ pinte/ 1¹/₄ tasses de crème épaisse, légèrement fouettée

fruits frais au choix (framboises, fraises, pêches, fruits de la passion, groseilles à maquereau)

1 Garnissez une plaque à pâtisserie avec une feuille de papier sulfurisé.

2 Montez les blancs d'œufs en neige avec une pincée de sel dans un grand saladier.

3 Ajoutez le sucre progressivement en fouettant bien après chaque addition jusqu'à ce que tout le sucre soit incorporé.

4 À l'aide d'une cuillère, versez les trois quarts de la meringue sur la plaque à pâtisserie, en formant un disque de 20 cm/ 8 pouces de diamètre.

5 Déposez sur le pourtour du disque le reste de la meringue à l'aide d'une cuillère en faisant toucher chaque cuillerée pour former un nid.

6 Faites cuire dans un four préchauffé à 140°C/ 275°F/ Thermostat 1, pendant 1¹/₄ heure.

7 Éteignez le four mais laissez-y le gâteau meringué jusqu'à ce qu'il soit complètement refroidi.

8 Pour servir, dressez la pavlova sur un plat, étalez la crème légèrement fouettée puis recouvrez de fruits frais.

MON CONSEIL

Il est conseillé de préparer la pavlova la veille et de la laisser dans le four éteint toute la nuit.

MON CONSEIL

Si vous ne vous sentez pas sûr de vous pour bien former un disque régulier, tracez un cercle sur le papier sulfurisé, retournez le papier puis déposez la meringue à l'intérieur du disque à l'aide d'une cuillère.

Puddings moelleux au chocolat

Ces puddings individuels sont toujours impressionnants à la fin du repas.

Pour 6 personnes

INGRÉDIENTS

125 g/ 4¹/₂ onces/ ¹/₂ tasse de beurre, ramolli

150 g/ 5¹/₂ onces/ ³/₄ tasse de sucre roux

3 œufs, battus

1 pincée de sel

25 g/ 1 once de cacao en poudre

125 g/ 4¹/₂ onces/ 1 tasse de farine avec poudre levante

25 g/ 1 once de chocolat noir, coupé en fins morceaux

75 g/ 2³/₄ onces de chocolat blanc, coupé en fins morceaux

SAUCE :

150 ml/ 5 oz liquides/ ²/₃ tasse de crème épaisse

75 g/ 2³/₄ onces/ ¹/₃ tasse de sucre roux

25 g/ 1 once/ 6 cuil. à café de beurre

1 Beurrez légèrement six moules individuels de 175 ml/ 6 oz liquides/ ³/₄ tasse.

2 Dans un saladier, malaxez le beurre avec le sucre jusqu'à ce que vous obteniez un mélange pâle et aéré. Incorporez les œufs progressivement en fouettant bien après chaque addition.

3 Tamisez le sel, le cacao en poudre et la farine dans cette crème et incorporez l'ensemble. Ajoutez le chocolat en morceaux et remuez jusqu'à ce qu'il soit bien mélangé.

4 Répartissez le mélange entre les moules préparés. Beurrez légère-ment six carrés de papier d'aluminium et utilisez-les pour couvrir chaque moule. Appuyez sur les bords pour bien fermer.

5 Placez les moules dans un plat à rôtir et versez de l'eau bouillante jusqu'à mi-hauteur des moules.

6 Faites cuire dans un four préchauffé à 180°C/ 350°F/ Thermostat 4, pendant 50 minutes ou jusqu'à ce qu'une aiguille en acier insérée dans les puddings en ressorte propre.

7 Retirez les moules du plat à rôtir et réservez pendant que vous préparez la sauce.

8 Pour faire la sauce, mettez la crème, le sucre et le beurre dans une casserole et portez à ébullition à petit feu. Laissez cuire la sauce à feu doux jusqu'à dissolution du sucre.

9 Pour servir, passez une lame de couteau tout le tour de chaque moule, puis démoulez sur des assiettes. Versez la sauce sur les puddings et servez immédiatement.

Roulade au chocolat

L'ajout de noix et de raisins donne à ce dessert une texture plus dense
semblable à celle des brownies au chocolat.

Pour 8 personnes

INGRÉDIENTS

150 g/ 5¹/₂ onces de chocolat noir,
  cassé en morceaux
3 cuil. à soupe d'eau
175 g/ 6 onces/ ³/₄ tasse de sucre en
  poudre

5 œufs, jaunes et blancs séparés
25 g/ 1 once/ 2 cuil. à soupe de raisins
  secs, hachés
25 g/ 1 once de noix de pécan,
  concassées

1 pincée de sel
300 ml/ ¹/₂ pinte/ 1¹/₄ tasses de crème
  épaisse, légèrement fouettée
sucre glace pour saupoudrer

1 Beurrez un moule à gâteau roulé de 30 x 20 cm/ 12 x 8 pouces, garnissez-le d'une feuille de papier sulfurisé et beurrez le papier.

2 Faites fondre le chocolat avec l'eau dans une petite casserole à feu très doux jusqu'à ce que le chocolat soit tout juste fondu. Laissez refroidir.

3 Dans un saladier, fouettez le sucre et les jaunes d'œufs pendant 2 à 3 minutes avec un fouet électrique jusqu'à ce que vous obteniez une crème épaisse et pâle.

4 Incorporez le chocolat refroidi, les raisins et les noix de pécan.

5 Dans un autre saladier, montez les blancs d'œufs en neige avec une pincée de sel. Incorporez un quart des blancs dans la préparation au chocolat puis incorporez le reste des blancs en travaillant délicatement et rapidement.

6 Versez la pâte dans le moule préparé et faites cuire dans un four préchauffé à 180°C/ 350°F/ Thermostat 4 pendant 25 minutes, jusqu'à ce que le gâteau ait levé et soit juste assez ferme au toucher. Laissez refroidir avant de recouvrir d'une feuille de papier sulfurisé et d'un torchon propre et humide. Laissez refroidir complètement.

7 Retournez la roulade sur une autre feuille de papier sulfurisé saupoudrée de sucre glace et enlevez la feuille de doublure.

8 Étalez la crème sur la roulade. En commençant par un petit côté, roulez la roulade sur elle-même en vous aidant du papier pour vous guider. Découpez les bords de la roulade pour donner un aspect plus net et dressez sur un plat. Laissez refroidir au réfrigérateur jusqu'au moment de servir. Saupoudrez d'un peu de sucre glace avant de servir, si vous le souhaitez.

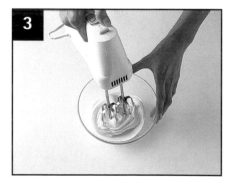

Tarte express aux fruits

*Cette recette est très facile à réaliser. Une fois la pâte roulée et garnie de fruits, il vous suffit
de replier les bords vers l'intérieur ! La tarte est excellente servie avec de la glace.*

Pour 8 personnes

INGRÉDIENTS

PÂTE :
175 g/ 6 onces/ 1½ tasses de farine
100 g/ 3½ onces/ ⅓ tasse de beurre,
  coupé en petits morceaux
1 cuil. à soupe d'eau
1 œuf, jaune et blanc séparés

sucre en morceaux, concassé pour
saupoudrer

GARNITURE :
600 g/ 1½ lb de fruits préparés
  (rhubarbe, groseilles à maquereau,
  prunes, prunes de Damas)

75 g/ 3 onces/ 6 cuil. à soupe de sucre
roux
1 cuil. à soupe de gingembre en poudre

1 Beurrez une grande plaque à pâtisserie.

2 Pour préparer la pâte, placez la farine et le beurre dans un saladier et effritez le beurre avec les doigts. Ajoutez l'eau et travaillez l'ensemble jusqu'à ce que vous obteniez une pâte souple. Enveloppez la pâte et réfrigérez 30 minutes.

3 Étalez la pâte refroidie au rouleau en une abaisse ronde d'environ 35 cm/ 14 pouces de diamètre.

4 Placez l'abaisse au milieu de la plaque à pâtisserie beurrée. Badigeonnez la pâte de jaune d'œuf à l'aide d'un pinceau.

5 Pour la garniture, mélangez les fruits préparés avec le sucre roux et le gingembre en poudre et versez le tout au milieu de la pâte.

6 Ramenez les bords sur tout le pourtour de la pâte. Badigeonnez la surface de la pâte de blanc d'œuf et saupoudrez de morceaux de sucre concassés.

7 Faites cuire dans un four préchauffé à 200°C/ 400°F/ Thermostat 6, pendant 35 minutes ou jusqu'à ce que la tarte soit dorée. Servez tiède.

MON CONSEIL

*Si la pâte se casse lorsque vous étalez
l'abaisse, ne vous inquiétez pas – en effet
les petites réparations éventuelles font
partie de l'aspect rustique de cette tarte.*

Tarte aux fruits style crumble

*Cette tarte apporte une double saveur avec sa garniture
de fruits recouverte d'une pâte style crumble.*

Pour 8 personnes

INGRÉDIENTS

PÂTE :
150 g/ 5 onces/ 1¼ tasses de farine
25 g/ 1 once/ 5 cuil. à café de sucre en
poudre
125 g/ 4½ onces/ ½ tasse de beurre,
coupé en petits morceaux
1 cuil. à soupe d'eau

GARNITURE :
250 g/ 9 onces de framboises
450 g/ 1 lb de prunes, coupées en deux,
dénoyautées et hachées
grossièrement
3 cuil. à soupe de cassonade

POUR SERVIR :
crème liquide

POUR FINIR :
125 g/ 4½ onces/ 1 tasse de farine
75 g/ 2¾ onces/ ⅓ tasse de cassonade
100 g/ 3½ onces/ ⅓ tasse de beurre
coupé en petits morceaux
100 g/ 3½ onces de noix et noisettes
mélangées et concassées
1 cuil. à café de cannelle en poudre

1 Pour faire la pâte, placez la farine, le sucre et le beurre dans un saladier et incorporez le beurre en l'effritant avec les doigts. Ajoutez l'eau et travaillez cette préparation jusqu'à ce que vous obteniez une pâte souple. Enveloppez la pâte et réfrigérez 30 minutes.

2 Étalez la pâte de manière à pouvoir en garnir le fond d'un moule à tarte de 24 cm/ 9½ pouces à fond amovible. Piquez le fond de la pâte avec une fourchette et réfrigérez environ 30 minutes.

3 Pour la garniture, mélangez les framboises et les prunes avec le sucre et versez sur la pâte à l'aide d'une cuillère.

4 Pour la pâte à crumble, mélangez la farine, le sucre et le beurre dans un saladier. Travaillez le beurre dans la farine avec les doigts jusqu'à ce que vous obteniez un mélange ressemblant à une chapelure grossière. Incorporez les noix et noisettes mélangées et la cannelle en poudre.

5 Saupoudrez la pâte à crumble sur les fruits et faites cuire dans un four préchauffé à 200°C/ 400°F/ Thermostat 6, pendant 20-25 minutes, jusqu'à ce que le dessus soit doré. Servez la tarte avec de la crème liquide.

Tarte au fromage et aux pommes

Les morceaux de pommes et de dattes mélangés au sucre roux dans
la garniture donnent une tarte sucrée avec un petit arrière-goût salé !

Pour 8 personnes

INGRÉDIENTS

- 175 g/ 6 onces/ 1½ tasses de farine avec poudre levante
- 1 cuil. à café de levure chimique
- 1 pincée de sel
- 75 g/ 2¾ onces/ ⅓ tasse de sucre roux

- 100 g/ 3½ onces/ de dattes, dénoyautées et hachées
- 500 g/ 1 lb 2 onces de pommes à croquer, cœur enlevé et hachées
- 50 g/ 1¾ onces/ ¼ tasse de noix, concassées

- 50 ml/ 2 oz liquides/ ¼ tasse d'huile de tournesol
- 2 œufs
- 175 g/ 6 onces de Red Leicester (fromage anglais), râpé

1 Beurrez un moule à tarte à fond amovible de 23 cm/ 9½ pouces et garnissez-le de papier sulfurisé.

2 Tamisez la farine, la levure chimique et le sel dans un saladier. Incorporez le sucre roux, les dattes et les pommes hachées ainsi que les noix concassées. Mélangez bien le tout.

3 Battez l'huile avec les œufs et ajoutez ce mélange aux ingrédients secs. Remuez pour bien incorporer le tout.

4 Versez la moitié de cette préparation dans le moule à l'aide d'une cuillère et lissez la surface avec le dos de la cuillère.

5 Saupoudrez de fromage, puis versez le reste de la préparation en l'étalant bien jusqu'aux bords du moule.

6 Faites cuire dans un four préchauffé à 180°C/ 350°F/ Thermostat 4, pendant 45-50 minutes ou jusqu'à ce que vous obteniez une tarte dorée et ferme au toucher.

7 Laissez refroidir légèrement dans le moule. Servez tiède.

MON CONSEIL

Cette tarte est délicieusement moelleuse. Tout reste pourra être conservé au réfrigérateur et réchauffé avant de servir.

Tarte Tatin aux pommes

Cette tarte inversée venue de France est toujours
un choix très apprécié pour un dessert réconfortant.

Pour 8 personnes

INGRÉDIENTS

125 g/ 4¹/₂ onces/ ¹/₂ tasse de beurre
125 g/ 4¹/₂ onces/ ¹/₂ tasse de sucre en
   poudre

4 pommes à croquer, cœur enlevé,
   coupées en quartiers
250 g/ 9 onces de pâte brisée fraîche
   achetée toute prête

crème fraîche pour servir

1 Faites chauffer le beurre et le sucre dans une poêle de 23 cm/ 9 pouces allant au four à feu moyen pendant environ 5 minutes jusqu'à ce que le mélange commence à se caraméliser. Enlevez la poêle du feu.

2 Disposez les quartiers de pommes, la peau tournée vers le bas, dans la poêle avec précaution car le beurre et le sucre sont brûlants. Remettez la poêle sur le feu et laissez cuire 2 minutes à feu doux.

3 Sur un plan de travail légèrement fariné, roulez la pâte pour former un disque légèrement plus grand que la poêle.

4 Placez la pâte sur les pommes, en appuyant et en rabattant les bords de sorte à enfermer les pommes sous la pâte.

5 Faites cuire dans un four préchauffé à 200°C/ 400°F, Thermostat 6, pendant 20-25 minutes jusqu'à ce que vous obteniez une pâte dorée. Sortez du four et laissez refroidir environ 10 minutes.

6 Placez un plat sur la poêle et retournez la poêle pour que la pâte devienne le fond de la tarte. Servez tiède avec de la crème fraîche.

VARIANTE

Remplacez les pommes par des poires si vous préférez. N'épluchez pas les poires, découpez-les en quartiers puis retirez le cœur.

Treacle tart

Cette tarte à l'ancienne ne manque jamais d'être appréciée.
Sa préparation est très rapide si vous utilisez de la pâte achetée toute prête.

Pour 8 personnes

INGRÉDIENTS

250 g/ 9 onces de pâte brisée achetée
toute prête

350 g/ 12 onces/ 1 tasse de mélasse
raffinée

125 g/ 4¹/₂ onces/ 2 tasses de
chapelure (pain blanc frais)

125 ml/ 4 oz liquides/ ¹/₂ tasse de
crème épaisse

zeste finement haché d'un demi-citron
ou d'une demi-orange

2 cuil. à soupe de jus de citron ou
d'orange

crème anglaise, pour servir

1 Roulez la pâte et garnissez le fond d'un moule à tarte à fond amovible de 20 cm/ 8 pouces, en mettant de côté le restant de pâte pour le décor. Piquez le fond de la pâte avec une fourchette et réfrigérez.

2 Roulez le reste de pâte et découpez des petites feuilles, étoiles ou cœurs, par exemple, pour décorer le dessus de la tarte.

3 Dans un saladier, mélangez ensemble la mélasse raffinée, la chapelure, la crème épaisse et le zeste

râpé de citron ou d'orange et le jus de citron ou d'orange.

4 Versez cette préparation dans le moule garni de pâte et décorez les bords de la tarte avec les découpes de pâte.

5 Faites cuire dans un four préchauffé à 190°C/ 375°F/ Thermostat 5, pendant 35-40 minutes ou jusqu'à ce que la garniture soit juste ferme.

6 Laissez la tarte refroidir légèrement dans le moule. Démoulez et servez avec de la crème anglaise.

VARIANTE

Utilisez les restes de pâte pour créer un décor en forme de treillis sur le dessus de la tarte si vous préférez.

Tarte aux pommes et au mincemeat

*La pomme fraîche fait ressortir le goût de la garniture riche
et sucrée et la rend savoureusement moelleuse.*

Pour 8 personnes

INGRÉDIENTS

PÂTE :
150 g/ 5 onces/ 1¹/₄ tasses de farine
25 g/ 1 once/ 5 cuil. à café de sucre en
poudre
125 g/ 4¹/₂ onces/ ¹/₂ tasse de beurre
coupé en petits morceaux

1 cuil. à soupe d'eau

GARNITURE :
1 pot de mincemeat (hachis de fruits
secs) de 411 g/ 14¹/₂ onces
3 pommes à croquer, cœur enlevé,
râpées

1 cuil. à soupe de jus de citron
40 g/ 1¹/₂ once/ 6 cuil. à café de
mélasse raffinée
40 g/ 1¹/₂ once/ 9 cuil. à café de beurre

1 Pour faire la pâte, mettez la farine
et le sucre en poudre dans un
grand saladier et incorporez le beurre
en l'effritant du bout des doigts.

2 Ajoutez l'eau et amalgamez
l'ensemble jusqu'à ce que vous
obteniez une pâte souple. Enveloppez
la pâte et réfrigérez 30 minutes.

3 Sur une surface légèrement
farinée, roulez la pâte et garnissez-
en le fond d'un moule à tarte de 24 cm/
9½ pouces à fond amovible. Piquez la
pâte avec une fourchette et réfrigérez
pendant 30 minutes.

4 Garnissez le fond de pâte de papier
d'aluminium et éparpillez des
haricots secs pour lester. Faites cuire le
fond de tarte dans un four préchauffé à
190°C/ 375°F/ Thermostat 5, pendant
15 minutes. Enlevez le papier
d'aluminium et le lest et laissez
cuire encore 15 minutes.

5 Mélangez le mincemeat avec les
pommes et le jus de citron et
versez ce mélange sur la pâte cuite à
l'aide d'une cuillère.

6 Faites fondre le sirop avec le beurre et
versez sur la garniture de mincemeat.

7 Remettez la tarte au four et faites
cuire environ 20 minutes ou
jusqu'à ce que la tarte soit ferme.
Servez tiède.

VARIANTE

*Ajoutez 2 cuil. à café de sherry pour parfumer
le mincemeat, selon votre préférence.*

Flan aux œufs

Ce flan classique aux œufs doit être servi aussi frais
que possible pour conserver toute sa saveur et sa texture.

Pour 8 personnes

INGRÉDIENTS

PÂTE :
150 g/ 5$\frac{1}{2}$ onces de farine
25 g/ 1 once/ 5 cuil. à café de sucre en
poudre
125 g/ 4$\frac{1}{2}$ onces/ $\frac{1}{2}$ tasse de beurre
coupé en petits morceaux

1 cuil. à soupe d'eau

GARNITURE :
3 œufs
150 ml/ $\frac{1}{4}$ pinte/ $\frac{2}{3}$ tasse de crème
liquide

150 ml/ $\frac{1}{4}$ pinte/ $\frac{2}{3}$ tasse de lait
noix de muscade fraîchement moulue

POUR SERVIR :
crème épaisse à fouetter

1 Pour faire la pâte, mettez la farine et le sucre dans un saladier et incorporez le beurre en l'effritant du bout des doigts.

2 Ajoutez l'eau et mélangez le tout jusqu'à ce que vous obteniez une pâte souple. Enveloppez la pâte et laissez refroidir au réfrigérateur pendant environ 30 minutes.

3 Roulez la pâte pour former un disque légèrement plus grand qu'un moule à tarte de 24 cm/ 9$\frac{1}{2}$ pouces à fond amovible.

4 Garnissez le moule avec la pâte, et coupez ce qui dépasse des bords. Piquez la pâte avec une fourchette et réfrigérez 30 minutes.

5 Garnissez le fond de pâte de papier d'aluminium et éparpillez des haricots secs pour lester.

6 Faites cuire dans un four préchauffé à 190°C/ 375°F/ Thermostat 5, pendant 15 minutes. Enlevez le papier d'aluminium et le lest et laissez cuire la pâte encore 15 minutes.

7 Pour la garniture, fouettez les œufs avec la crème, le lait et la noix de muscade. Versez la préparation dans le fond de pâte préparé. Mettez la tarte au four et faites cuire pendant 25-30 minutes ou jusqu'à ce que la tarte soit juste ferme. Servez avec de la crème fouettée si vous le désirez.

MON CONSEIL

La cuisson préalable
du fond de tarte la rend
plus croustillante.

Tarte au citron

*Personne ne pourra résister à cette tarte à pâte moelleuse
garnie d'une crème au citron acidulée et voluptueuse.*

Pour 8 personnes

INGRÉDIENTS

PÂTE :
150 g/ 5¹/₂ onces/ 1¹/₄ tasses de farine
25 g/ 1 once/ 5 cuil. à café de sucre en
   poudre
125 g/ 4¹/₂ onces/ ¹/₂ tasse de beurre,
   coupé en petits morceaux
1 cuil. à soupe d'eau

GARNITURE :
150 ml/ ¹/₄ pinte/ ²/₃ tasse de crème
   épaisse
100 g/ 3¹/₂ onces/ ¹/₂ tasse de sucre en
   poudre
4 œufs

zeste râpé de 3 citrons
12 cuil. à soupe de jus de citron
sucre glace, pour saupoudrer

1 Pour faire la pâte, mettez la farine
et le sucre dans un saladier et
incorporez le beurre en l'effritant avec
les doigts. Ajoutez l'eau et mélangez
jusqu'à ce que vous obteniez une pâte
souple. Enveloppez la pâte et laissez
refroidir 30 minutes au réfrigérateur.

2 Sur une surface légèrement
farinée, roulez la pâte et garnissez-
en le fond d'un moule à tarte de 24 cm/
9½ pouces à fond amovible. Piquez la
pâte avec une fourchette et réfrigérez
30 minutes.

3 Garnissez le fond de pâte de
papier d'aluminium et éparpillez
des haricots secs pour lester, puis faites
cuire 15 minutes dans un four
préchauffé à 190°C/ 375°F/
Thermostat 5. Enlevez le papier
d'aluminium et le lest et laissez cuire la
pâte encore 15 minutes.

4 Pour la garniture, fouettez la
crème avec le sucre, les œufs,
le zeste et le jus de citron. Placez le
moule garni de pâte sur une plaque
à pâtisserie et versez-y la garniture.

5 Faites cuire au four pendant
environ 20 minutes ou jusqu'à
ce que la tarte soit juste ferme. Laissez
refroidir, puis saupoudrez légèrement
de sucre glace avant de servir.

MON CONSEIL

*Pour éviter d'en renverser, versez
la moitié de la garniture dans la tarte,
mettez-la dans le four puis versez
le reste de la garniture.*

Tarte à l'orange

*Ceci est une variante de la tarte au citron classique – dans cette recette
on ajoute de la chapelure pour créer un mélange plus consistant.*

Pour 6 à 8 personnes

INGRÉDIENTS

PÂTE :
150 g/ 5 onces/ 1¼ tasses de farine
25 g/ 1 once/ 5 cuil. à café de sucre en
   poudre
125 g/ 4½ onces/ ½ tasse de beurre,
   coupé en petits morceaux
1 cuil. à soupe d'eau

GARNITURE :
zeste râpé de 2 oranges
9 cuil. à soupe de jus d'orange
50 g/ 1¾ onces/ ⅞ tasse de chapelure
   fraîche (pain blanc)
2 cuil. à soupe de jus de citron

150 ml/ ¼ pinte/ ⅔ tasse de crème
   liquide
50 g/ 1¾ onces/ ¼ tasse de beurre
50 g/ 1¾ onces/ ¼ tasse de sucre en
   poudre
2 œufs, jaunes et blancs séparés
pincée de sel

1 Pour faire la pâte, mettez la farine et le sucre dans un saladier et incorporez le beurre en l'effritant avec les doigts. Ajoutez l'eau froide et amalgamez le tout jusqu'à ce que vous obteniez une pâte souple. Enveloppez la pâte et réfrigérez 30 minutes.

2 Roulez la pâte et garnissez-en le fond d'un moule à tarte de 24 cm/ 9½ pouces à fond amovible. Piquez la pâte avec une fourchette et réfrigérez 30 minutes.

3 Garnissez le fond de pâte de papier d'aluminium et éparpillez des haricots secs pour lester, puis faites cuire dans un four préchauffé à 190°C/ 375°F/ Thermostat 5, pendant 15 minutes. Enlevez le papier d'aluminium et le lest et laissez cuire la pâte encore 15 minutes.

4 Pour la garniture, mélangez le zeste et le jus d'orange avec la chapelure dans un saladier. Ajoutez le jus de citron et la crème liquide. Faites fondre le beurre avec le sucre dans une casserole à feu doux. Retirez la casserole du feu, ajoutez

les deux jaunes d'œufs, le sel et la préparation de chapelure et remuez le tout.

5 Dans un saladier, montez les blancs d'œufs en neige avec une pincée de sel. Incorporez-les au mélange de jaunes d'œufs.

6 Versez la garniture sur le fond de tarte. Faites cuire dans un four préchauffé à 170°C/ 325°F/ Thermostat 3, pendant environ 45 minutes ou jusqu'à ce que la tarte soit juste ferme. Laissez refroidir légèrement et servez tiède.

Tarte à la crème de noix de coco

Décorez cette tarte avec des fruits tropicaux frais,
tels que mangue ou ananas, et de la noix de coco séchée grillée.

Pour 6 à 8 personnes

INGRÉDIENTS

PÂTE :
150 g/ 5¹/₂ onces/ 1¹/₄ tasses de farine
25 g/ 1 once/ 5 cuil. à café de sucre en poudre
125 g/ 4¹/₂ onces/ ¹/₂ tasse de beurre, coupé en petits morceaux
1 cuil. à soupe d'eau

GARNITURE :
425 ml/ ³/₄ pinte/ 2 tasses de lait
125 g/ 4¹/₂ onces de crème de noix de coco
3 jaunes d'œufs
125 g/ 4¹/₂ onces/ ¹/₂ tasse de sucre en poudre
50 g/ 1³/₄ onces/ ¹/₂ tasse de farine, tamisée

25 g/ 1 once/ ¹/₃ tasse de noix de coco séchée
25 g/ 1 once d'ananas confit, haché
2 cuil. à soupe de rhum ou de jus d'ananas
300 ml/ ¹/₂ pinte/ 1¹/₃ tasses de crème épaisse, fouettée

1 Pour faire la pâte, mettez la farine et le sucre dans un saladier et incorporez le beurre en l'effritant avec les doigts. Ajoutez l'eau et amalgamez le tout jusqu'à ce que vous obteniez une pâte souple. Enveloppez la pâte et réfrigérez 30 minutes.

2 Sur une surface légèrement farinée, roulez la pâte et garnissez-en le fond d'un moule à tarte de 24 cm/ 9½ pouces à fond amovible. Piquez la pâte avec une fourchette et réfrigérez 30 minutes. Garnissez le fond de pâte de papier d'aluminium et éparpillez des

haricots secs pour lester, puis faites cuire 15 minutes dans un four préchauffé à 190°C/ 375°F/ Thermostat 5. Enlevez le papier d'aluminium et le lest et laissez cuire la pâte encore 15 minutes.

3 Pour la garniture, faites chauffer le lait avec la crème de noix de coco dans une casserole sans atteindre l'ébullition, tout en remuant pour faire fondre la noix de coco.

4 Dans un saladier, fouettez les jaunes d'œufs avec le sucre jusqu'à ce que

vous obteniez un mélange pâle et mousseux. Ajoutez la farine en fouettant. Versez le lait chaud sur la préparation aux œufs, en remuant. Mettez la préparation sur le feu et chauffez doucement pendant 8 minutes en remuant, jusqu'à ce que vous obteniez un mélange épais. Laissez refroidir.

5 Incorporez la noix de coco, l'ananas et le jus d'ananas ou le rhum en remuant et étalez la garniture sur le fond de tarte. Recouvrez de crème fouettée et réfrigérez jusqu'au moment de servir.

Tarte aux pignons

*Cette tarte est garnie d'une préparation sucrée à base
de fromage frais et esthétiquement décorée avec des pignons.*

Pour 8 personnes

INGRÉDIENTS

PÂTE :
150 g/ 5 onces/ 1¼ tasses de farine
25 g/ 1 once/ 5 cuil. à café de sucre en
    poudre
125 g/ 4½ onces/ ½ tasse de beurre,
    coupé en petits morceaux

1 cuil. à soupe d'eau

GARNITURE :
350 g/ 12 onces de fromage blanc
4 cuil. à soupe de crème épaisse
3 œufs

125 g/ 4½ onces/ ½ tasse de sucre en
    poudre
zeste râpé d'une orange
100 g/ 3½ onces de pignons

1 Pour faire la pâte, mettez la farine et le sucre dans un saladier et incorporez le beurre en l'effritant avec les doigts. Ajoutez l'eau et amalgamez le tout jusqu'à ce que vous obteniez une pâte souple. Enveloppez la pâte et laissez refroidir 30 minutes au réfrigérateur.

2 Sur une surface légèrement farinée, roulez la pâte et garnissez-en le fond d'un moule à tarte de 24 cm/ 9½ pouces à fond amovible. Piquez la pâte avec une fourchette et réfrigérez 30 minutes.

3 Garnissez le fond de pâte de papier d'aluminium et éparpillez

des haricots secs pour lester, puis faites cuire 15 minutes dans un four préchauffé à 190°C/ 375°F/ Thermostat 5. Enlevez le papier d'aluminium et le lest et laissez cuire la pâte encore 15 minutes.

4 Pour la garniture, battez le fromage blanc avec la crème, les œufs, le sucre, le zeste d'orange et la moitié des pignons. Versez la garniture sur le fond de tarte et saupoudrez le reste des pignons.

5 Faites cuire dans un four à 170°C/ 325°F/ Thermostat 3 pendant

35 minutes ou jusqu'à ce que la tarte soit juste ferme. Laissez refroidir avant de servir.

VARIANTE

*Remplacez les pignons
par des amandes
effilées, selon
votre préférence.*

Tarte aux écorces confites et aux noix

Cette tarte très riche n'est pas pour les timides. Servez en tranches fines.

Pour 8 personnes

INGRÉDIENTS

PÂTE :
150 g/ 5$\frac{1}{2}$ onces/ 1$\frac{1}{4}$ tasses de farine
25 g/ 1 once/ 5 cuil. à café de sucre en poudre
125 g/ 4$\frac{1}{2}$ onces/ $\frac{1}{2}$ tasse de beurre, coupé en petits morceaux
1 cuil. à soupe d'eau

GARNITURE :
75 g/ 2$\frac{3}{4}$ onces/ $\frac{1}{3}$ tasse de beurre
50 g/ 1$\frac{3}{4}$ onces/ $\frac{1}{4}$ tasse de sucre en poudre
75 g/ 2$\frac{3}{4}$ onces de miel solide
200 ml/ 7 oz liquides/ 1$\frac{3}{4}$ tasses de crème épaisse

1 œuf, battu
200 g/ 7 onces de noix et noisettes mélangées
200 g/ 7 onces d'écorces confites mélangées

1 Pour faire la pâte, mettez la farine et le sucre dans un saladier et incorporez le beurre en l'effritant avec les doigts. Ajoutez l'eau et amalgamez le tout jusqu'à ce que vous obteniez une pâte souple. Enveloppez la pâte et laissez refroidir 30 minutes au réfrigérateur.

2 Sur une surface légèrement farinée, roulez la pâte et garnissez-en le fond d'un moule à tarte de 24 cm/ 9$\frac{1}{2}$ pouces à fond amovible. Piquez la pâte avec une fourchette et réfrigérez 30 minutes.

3 Garnissez le fond de pâte de papier aluminium et éparpillez des haricots secs pour lester, puis faites cuire 15 minutes dans un four préchauffé à 190°C/ 375°F/ Thermostat 5. Enlevez le papier d'aluminium et le lest et laissez cuire la pâte encore 15 minutes.

4 Pour la garniture, faites fondre le beurre avec le sucre et le miel dans une petite casserole. Incorporez-y la crème et l'œuf battu, puis ajoutez les noix et les écorces confites mélangées. Faites cuire à feu doux 2 minutes en remuant continuellement, jusqu'à ce que vous obteniez un mélange pâle et doré.

5 Versez la garniture sur le fond de tarte et faites cuire au four 15-20 minutes, ou jusqu'à ce que la tarte soit juste ferme. Laissez refroidir, puis servez en tranches.

VARIANTE

Si vous préférez, utilisez des noix ou des noix de pécan à la place des noix et noisettes mélangées.

Tarte à la frangipane à l'abricot et aux canneberges

Cette tarte convient particulièrement au moment de Noël lorsque les canneberges fraîches sont en pleine saison.
Si vous le souhaitez, vous pourrez badigeonner la tarte tiède de deux cuillerées à soupe de confiture d'abricots fondue.

Pour 8 à 10 personnes

INGRÉDIENTS

PÂTE :
150 g/ 5^1/2 onces/ 1^1/4 tasse de farine
125 g/ 4^1/2 onces/ ^{1}/2 tasse de sucre en poudre
125 g/ 4^1/2 onces/ ^{1}/2 tasse de beurre, coupé en petits morceaux
1 cuil. à soupe d'eau

GARNITURE :
200 g/ 7 onces/ 1 tasse de beurre non salé
200 g/ 7 onces/ 1 tasse de sucre en poudre
1 œuf
2 jaunes d'œufs
40 g/ 1^1/2 once/ 6 cuil. à soupe de farine, tamisée

175 g/ 6 onces/ 1^2/3 tasses de poudre d'amandes
4 cuil. à soupe de crème épaisse
1 boîte de 411 g/ 14^1/2 onces de moitiés d'abricots, égouttées
125 g/ 4^1/2 onces de canneberges fraîches

1 Pour faire la pâte, mettez la farine et le sucre dans un saladier et incorporez le beurre en l'effritant avec les doigts. Ajoutez l'eau et amalgamez le tout jusqu'à ce que vous obteniez une pâte souple. Enveloppez la pâte et laissez refroidir 30 minutes au réfrigérateur.

2 Sur une surface légèrement farinée, roulez la pâte et garnissez-en le fond d'un moule à tarte de 24 cm/ 9^1/2 pouces à fond amovible. Piquez la pâte avec une fourchette et réfrigérez 30 minutes.

3 Garnissez le fond de pâte de papier d'aluminium et éparpillez des haricots secs pour lester, puis faites cuire 15 minutes dans un four préchauffé à 190°C/ 375°F/ Thermostat 5. Enlevez la feuille d'aluminium et le lestage et laissez cuire la pâte encore 10 minutes.

4 Pour la garniture, travaillez le beurre avec le sucre jusqu'à ce que vous obteniez un mélange pâle et aéré. Ajoutez l'œuf et les jaunes d'œufs en les battant, puis incorporez la farine, les amandes, et la crème.

5 Disposez les moitiés d'abricots et les canneberges sur le fond de tarte et recouvrez de garniture à l'aide d'une cuillère.

6 Faites cuire au four pendant environ 1 heure ou jusqu'à ce que la garniture soit juste ferme. Laissez refroidir légèrement, puis servez tiède ou froid.

Tarte au chocolat blanc et aux amandes

*Cette tarte est une variante de la recette classique de la tarte aux noix de pécan –
ici les amandes et le chocolat sont enrobés d'une préparation épaisse à la mélasse*

Pour 8 personnes

INGRÉDIENTS

PÂTE :
150 g/ 5 onces/ 1¼ tasses de farine
25 g/ 1 once/ 5 cuil. à café de sucre en
poudre
125 g/ 4½ onces/ ½ tasse de beurre,
coupé en petits morceaux
1 cuil. à soupe d'eau

GARNITURE :
150 g/ 5½ onces/ ½ tasse de mélasse
raffinée
50 g/ 1¾ onces/ 10 cuil. à café de
beurre
75 g/ 2¾ onces/ ⅓ tasse de sucre roux
3 œufs, légèrement battus

100 g/ 3½ onces/ ½ tasse d'amandes
entières mondées et concassées
grossièrement
100 g/ 3½ onces de chocolat blanc,
coupé en gros morceaux
crème fraîche, pour servir (facultatif)

1 Pour faire la pâte, mettez la farine et le sucre dans un saladier et incorporez le beurre en l'effritant avec les doigts. Ajoutez l'eau et amalgamez le tout jusqu'à ce que vous obteniez une pâte souple. Enveloppez la pâte et laissez refroidir 30 minutes au réfrigérateur.

2 Sur une surface légèrement farinée, roulez la pâte et garnissez-en le fond d'un moule à tarte de 24 cm/ 9½ pouces à fond amovible. Piquez la pâte avec une fourchette et réfrigérez 30 minutes.

Garnissez le fond de pâte de papier d'aluminium et éparpillez des haricots secs pour lester la pâte, puis faites cuire 15 minutes dans un four préchauffé à 190°C/ 375°F/ Thermostat 5. Enlevez le papier d'aluminium et le lestage et laissez cuire la pâte encore 15 minutes.

3 Pour la garniture, faites fondre à petit feu la mélasse avec le beurre et le sucre dans une casserole. Retirez du feu et laissez refroidir légèrement. Incorporez dans ce mélange les œufs battus, les amandes et le chocolat.

4 Versez la garniture de chocolat et d'amandes sur le fond de tarte et faites cuire au four 30-35 minutes ou jusqu'à ce que la tarte soit juste ferme. Laissez refroidir avant de démouler la tarte. Servez avec de la crème fraîche, au choix.

VARIANTE

Si vous le préférez, vous pouvez utiliser un mélange de chocolat blanc et noir.

Jalousie au mincemeat et au raisin

*Cette jalousie est un dessert particulièrement apprécié à Noël. Avec sa garniture
et son parfum de fêtes de fin d'année, elle remplace agréablement les célèbres "mince pies".*

Pour 4 personnes

INGRÉDIENTS

500 g/ 1 lb 2 onces de pâte feuilletée
achetée toute prête

1 pot de 411 g/ 14$\frac{1}{2}$ onces de
mincemeat

100 g/ 3$\frac{1}{2}$ onces de grains de raisins,
épépinés et coupés en deux

1 œuf, pour le glaçage

cassonade, pour saupoudrer

1 Beurrez légèrement une plaque
à pâtisserie.

2 Sur une surface légèrement
farinée, roulez la pâte et
coupez-la en deux rectangles.

3 Disposez un rectangle de pâte sur
la plaque à pâtisserie préparée et
badigeonnez les bords avec de l'eau.

4 Mélangez le mincemeat et le
raisin dans un saladier, étalez
la garniture sur le rectangle de pâte
disposé sur la plaque à pâtisserie en
laissant un bord de 2,5 cm/ 1 pouce.

5 Pliez le deuxième rectangle de
pâte en deux dans le sens de la
longueur, et cisaillez soigneusement
une série de lignes parallèles le long de
la pliure en laissant un bord de 2,5 cm/
1 pouce.

6 Dépliez le rectangle de pâte
et déposez-le sur le mincemeat.
Soudez les bords de la pâte et appuyez
bien tout autour.

7 Retournez les bords de la pâte et
incisez tout le pourtour avec le dos
d'une lame de couteau (tenu verticalement). Badigeonnez légèrement d'œuf
battu et saupoudrez de cassonade.

8 Faites cuire 15 minutes dans un
four préchauffé à 220°C/ 425°F/
Thermostat 7. Réduisez la chaleur à

180°C/ 350°F/ Thermostat 4, et laissez
cuire encore 30 minutes, jusqu'à ce que
la jalousie soit parfaitement levée et bien
dorée. Laissez refroidir sur une grille
avant de servir.

MON CONSEIL

*Pour un parfum de fête encore plus
prononcé, ajoutez au mincemeat deux
cuillerées à soupe de xérès.*

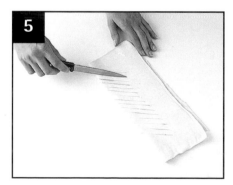

Tartelettes aux poires

Ces tartelettes sont réalisées à partir de pâte feuilletée achetée toute prête que vous trouverez dans la plupart des supermarchés. La pâte cuite est riche et savoureuse.

Pour 6 tartelettes

INGRÉDIENTS

250 g/ 9 onces de pâte feuilletée
   achetée toute prête
25 g/ 1 once/ 8 cuil. à café de sucre
   roux

25 g/ 1 once/ 6 cuil. à café de beurre
   (et un peu plus pour badigeonner)
1 cuil. à soupe de gingembre au sirop,
   finement haché

3 poires, épluchées, coupées en deux,
   cœur enlevé
crème fraîche, pour servir

1 Sur une surface légèrement farinée, roulez la pâte. Découpez dedans six disques de 10 cm/ 4 pouces.

2 Placez les disques de pâte sur une grande plaque à pâtisserie et réfrigérez 30 minutes.

3 Amalgamez le sucre roux et le beurre dans un petit saladier, puis ajoutez le gingembre au sirop haché.

4 Piquez les disques de pâte avec une fourchette et déposez sur chacun d'eux une petite quantité de la préparation au gingembre.

5 Coupez les moitiés de poires dans le sens de la longueur en laissant intact le bout de chaque poire. Ouvrez légèrement les tranches en éventail.

6 Placez une moitié de poire en éventail sur chaque disque. Incisez tout le pourtour des disques avec le dos d'une lame de couteau (tenu verticalement) et badigeonnez chaque poire de beurre fondu.

7 Faites cuire dans un four préchauffé à 200°C/ 400°F/ Thermostat 6, pendant 15-20 minutes, jusqu'à ce que la pâte soit parfaitement levée et dorée. Servez tiède avec un peu de crème fraîche.

MON CONSEIL

Si vous le préférez, servez ces tartelettes avec de la glace à la vanille pour un dessert délicieux.

Tartelettes à la crème brûlée

Servez ces tartelettes avec des fruits frais, selon votre préférence.

Pour 6 tartelettes

INGRÉDIENTS

PÂTE :
150 g/ 5 onces/ 1¹/₄ tasses de farine
25 g/ 1 once/ 5 cuil. à café de sucre en
   poudre
125 g/ 4¹/₂ onces/ ¹/₂ tasse beurre,
   coupé en petits morceaux

1 cuil. à soupe d'eau

GARNITURE :
4 jaunes d'œufs
50 g/ 1³/₄ onces/ 9 cuil. à café de sucre
   en poudre

400 ml/ 14 oz liquides/ 1³/₄ tasses de
   crème épaisse
1 cuil. à café d'extrait de vanille
cassonade, pour saupoudrer

1 Pour faire la pâte, mettez la farine et le sucre dans un saladier et incorporez le beurre en l'effritant avec les doigts. Ajoutez l'eau et amalgamez le tout jusqu'à ce que vous obteniez une pâte souple. Enveloppez la pâte et laissez refroidir 30 minutes au réfrigérateur.

2 Sur une surface légèrement farinée, roulez la pâte et garnissez-en six moules à tartelettes de 10 cm/ 4 pouces. Piquez la pâte avec une fourchette et réfrigérez 20 minutes.

3 Garnissez les fonds de pâte de papier d'aluminium et éparpillez dessus des

haricots secs pour les lester, puis faites cuire 15 minutes dans un four préchauffé à 190°C/ 375°F/ Thermostat 5. Enlevez le papier d'aluminium et le lest et laissez cuire la pâte encore 10 minutes, jusqu'à ce que les tartelettes soient croustillantes et dorées. Laissez refroidir.

4 Pendant ce temps, préparez la garniture. Dans un saladier, battez les jaunes d'œufs avec le sucre jusqu'à ce que vous obteniez un mélange pâle. Faites chauffer la crème avec l'extrait de vanille dans une casserole presque jusqu'à ébullition, puis versez cette crème sur la préparation aux œufs, en fouettant constamment.

5 Versez cette préparation dans une casserole propre et faites chauffer presque jusqu'à ébullition, en remuant, de sorte à obtenir un mélange épais. Ne laissez pas bouillir au risque de faire tourner.

6 Laissez refroidir légèrement la préparation, puis versez-la dans les moules à tartelettes. Laissez refroidir et laissez au réfrigérateur toute la nuit.

7 Saupoudrez les tartelettes de sucre. Placez quelques minutes sous un gril préchauffé sur chaud. Laissez refroidir, puis réfrigérez pendant deux heures avant de servir.

Mini-tartes à la frangipane au citron vert

Ces petites tartelettes sont réalisées avec une pâte originale
parfumée au citron vert et sont garnies de frangipane.

Pour 12 tartelettes

INGRÉDIENTS

125 g/ 4^1/$_2$ onces/ 1 tasse de farine
100 g/ 3^1/$_2$ onces/ ^{1}/$_3$ tasse de beurre, ramolli
1 cuil. à café de zeste de citron vert râpé
1 cuil. à soupe de jus de citron vert

50 g/ 1^3/$_4$ onces/ 9 cuil. à café de sucre en poudre
1 œuf
25 g/ 1 once/ ^{1}/$_4$ tasse de poudre d'amandes

50 g/ 1^3/$_4$ onces/ ^{1}/$_3$ tasse de sucre glace, tamisé
^{1}/$_2$ cuil. à soupe d'eau

1 Réservez 5 cuillerées à café de farine et 3 cuillerées à café de beurre et mettez de côté.

2 Effritez le beurre restant dans le reste de farine, jusqu'à ce que le mélange ressemble à de la semoule. Ajoutez le zeste de citron vert, puis le jus de citron vert et amalgamez le tout pour former une pâte souple.

3 Sur une surface légèrement farinée, roulez la pâte finement. Découpez dedans 12 cercles de 7,5 cm/ 3 pouces et garnissez-en une plaque à muffins.

4 Dans un saladier, malaxez le beurre réservé avec le sucre en poudre.

5 Ajoutez l'œuf, puis la poudre d'amandes et la farine réservée.

6 Répartissez le mélange entre les fonds de tartelettes.

7 Faites cuire dans un four préchauffé à 200°C/ 400°F/ Thermostat 6, pendant 15 minutes, jusqu'à ce que les tartelettes soient fermes et légèrement dorées. Démoulez les tartelettes et laissez refroidir.

8 Délayez le sucre glace avec l'eau. Nappez chaque tartelette d'un filet de glaçage et servez.

MON CONSEIL

Ces tartelettes peuvent être préparées à l'avance. Conservez-les dans une boîte hermétique et glacez-les juste avant de servir.

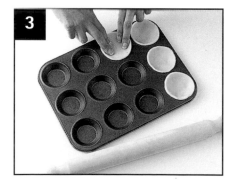

Pains & mets salés

Le pain tout frais n'a jamais été aussi facile à faire, surtout depuis l'arrivée dans le commerce des levures instantanées. Dans ce chapitre, des sachets de 6 g de levure séchée instantanée ont été utilisés car ils sont faciles à trouver dans le commerce, simples d'emploi et donnent de très bons résultats. Si vous souhaitez utiliser de la levure fraîche, remplacez un sachet de levure instantanée par 25 g/ 1 once de levure fraîche. Délayez la levure fraîche dans le liquide tiède et ajoutez une cuillerée à café de sucre. Incorporez à la farine et procédez ensuite comme indiqué.

Choisissez toujours une farine blanche ou complète brute pour les recettes de pain utilisant de la levure, ces farines contiennent en effet une haute teneur en gluten, protéine qui donne à la pâte son élasticité. Pétrissez toujours la pâte minutieusement - cette opération peut s'effectuer avec un mixeur électrique muni d'un crochet de pétrissage pendant environ 5-8 minutes, mais le pétrissage à la main est une activité tout à fait agréable qui vous permettra de libérer toute agression et tout stress sur la pâte !

Ce chapitre comprend également une sélection de mets salés, dont une sélection de tourtes, pâtisseries et quiches savoureuses pour créer tout un ensemble de plats délicieux pouvant être servis comme plat principal. Choisissez entre le pudding au fromage, la tarte à l'oignon et les tartes aux tomates fraîches, et comme entremets les scones à la moutarde et les biscuits salés au curry.

Teacakes

Ces pâtisseries célèbres servies à l'heure du thé sont particulièrement délicieuses coupées en deux et grillées, puis tartinées de beurre.
Utilisez un mélange de fruits secs de bonne qualité contenant si possible des cerises confites, des abricots et des écorces confites mélangées.

Pour 12 personnes

INGRÉDIENTS

450 g/ 1 lb/ 4 tasses de farine blanche
  brute
1 sachet de levure séchée instantanée
50 g/ 1¾ onces/ 9 cuil. à café de sucre
  en poudre

1 cuil. à café de sel
25 g/ 1 once/ 6 cuil. à café de beurre,
  coupé en petits morceaux
300 ml/ ½ pinte/ 1¼ tasses de lait
  tiède

75 g/ 2¾ onces de fruits secs
  mélangés de première qualité
miel, pour badigeonner

1 Beurrez plusieurs plaques à pâtisserie.

2 Tamisez la farine dans un grand saladier. Ajoutez la levure séchée, le sucre et le sel. Incorporez le beurre en l'effritant avec les doigts jusqu'à ce que vous obteniez un mélange ressemblant à de la semoule. Ajoutez le lait et amalgamez tous les ingrédients pour former une pâte souple.

3 Posez la pâte sur une surface légèrement farinée et pétrissez-la pendant environ 5 minutes (cette opération peut aussi être effectuée avec un mixeur électrique muni d'un crochet de pétrissage).

4 Déposez la pâte dans un saladier beurré, couvrez et laissez lever dans un endroit chaud pendant environ 1 - 1 h 30 jusqu'à ce que la pâte ait doublé de volume.

5 Pétrissez à nouveau la pâte pendant quelques minutes et incorporez-y les fruits. Divisez la pâte en 12 boules et placez-les sur les plaques à pâtisserie. Recouvrez et laissez reposer encore 1 h ou jusqu'à ce que la pâte soit élastique au toucher.

6 Faites cuire 20 mn. dans un four préchauffé à 200°C/ 400°F/ Thermostat 6. Badigeonnez les teacakes de miel pendant qu'ils sont encore chauds.

7 Laissez refroidir les teacakes sur une grille avant de les servir coupés en deux. Tartinez de beurre et servez.

MON CONSEIL

Le lait doit être à la bonne
température : faites-le chauffer
jusqu'à ce que vous puissiez
y laisser le petit doigt 10 secondes
sans vous brûler.

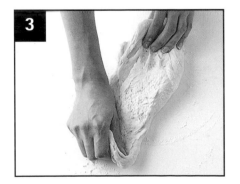

Petits pains à la cannelle

*Ces petits pains parfumés à la cannelle sont délicieux servis
chauds quelques minutes après leur sortie du four.*

Pour 12 petits pains

INGRÉDIENTS

225 g/ 8 onces/ 2 tasses de farine
   blanche brute
1/2 cuil. à café de sel
1 sachet de levure séchée instantanée
25 g/ 1 once/ 6 cuil. à café de beurre,
   coupé en petits morceaux
1 œuf, battu
125 ml/ 4 oz liquides/ 1/2 tasse de lait

tiède
2 cuil. à soupe de sirop d'érable

GARNITURE :
50 g/ 1 3/4 onces/ 10 cuil. à café de
   beurre, ramolli

2 cuil. à café de cannelle en poudre

50 g/ 1 3/4 onces/ 3 cuil. à soupe de
   sucre roux
50 g/ 1 3/4 onces/ 1/3 tasse de raisins de
   Corinthe

1 Beurrez un moule à gâteau carré de 23 cm/ 9 pouces.

2 Tamisez la farine et le sel dans un saladier. Ajoutez la levure séchée. Incorporez le beurre en l'effritant avec les doigts jusqu'à ce que le mélange ressemble à de la chapelure. Ajoutez l'œuf et le lait et amalgamez le tout pour former une pâte.

3 Déposez la pâte dans un saladier beurré, couvrez et laissez reposer dans un endroit chaud environ 40 minutes ou jusqu'à ce que la pâte ait doublé de volume.

4 Pétrissez légèrement la pâte pendant 1 minute pour l'aplatir, puis roulez-la en rectangle de 30 x 23 cm/ 12 x 9 pouces.

5 Pour la garniture, mélangez le beurre avec la cannelle et le sucre roux jusqu'à obtenir une crème pâle et aérée. Étalez sur la pâte en laissant un bord de 2,5 cm/ 1 pouce. Parsemez les raisins secs dessus.

6 Roulez la pâte comme un gâteau roulé en commençant par un bord long et en appuyant pour faire adhérer la pâte. Coupez la pâte en 12 tranches.

Placez-les dans le moule, couvrez et laissez reposer 30 minutes.

7 Faites cuire dans un four préchauffé à 190°C/ 375°F/ Thermostat 5, pendant 20-30 minutes ou jusqu'à ce qu'ils soient bien levés. Badigeonnez de sirop d'érable et laissez refroidir avant de servir.

VARIANTE

Si vous préférez que les petits pains soient croquants, remplacez les raisins de Corinthe par des noix ou des noix de pécan concassées.

Cake à la cannelle et aux raisins de Corinthe

Ce cake aux fruits et aux épices à servir à l'heure du thé est simple et rapide à faire.
Servez-le tartiné de beurre et nappé d'un filet de miel pour un goûter savoureux.

Pour 1 cake de 900 g/2 lb

INGRÉDIENTS

350 g/ 12 onces/ 3 tasses de farine
pincée de sel
1 cuil. à soupe de levure chimique
1 cuil. à soupe de cannelle en poudre

150 g/ 5½ onces/ ⅔ tasse de beurre,
coupé en petits morceaux
125 g/ 4½ onces/ ¾ tasse de sucre
roux
175 g/ 6 onces/ ¾ tasse de raisins de
Corinthe

zeste finement râpé d'une orange
5-6 cuil. à soupe de jus d'orange
6 cuil. à soupe de lait
2 œufs, légèrement battus

1 Beurrez un moule à cake de 900 g/ 2 lb et garnissez le fond de papier sulfurisé.

2 Tamisez la farine, le sel, la levure chimique et la cannelle en poudre dans un saladier. Incorporez les morceaux de beurre en les effritant avec les doigts jusqu'à ce que le mélange ressemble à de la chapelure grossière.

3 Ajoutez le sucre, les raisins de Corinthe et le zeste d'orange. Battez le jus d'orange, le lait et les œufs ensemble et ajoutez-les aux ingrédients secs. Mélangez bien pour incorporer le tout.

4 À l'aide d'une cuillère, versez la pâte dans le moule préparé. Faites un petit creux au milieu de la préparation pour que le cake lève de manière égale.

5 Faites cuire dans un four préchauffé à 180°C/ 350°F/ Thermostat 4, pendant environ 1 h - 1 h 10, ou jusqu'à ce qu'une aiguille en acier insérée au centre du cake en ressorte propre.

6 Laissez le cake refroidir avant de le démouler. Transférez sur une grille et laissez refroidir complètement avant de le couper en tranches.

MON CONSEIL

Dès que vous avez ajouté le liquide aux ingrédients secs, travaillez le plus vite possible car la levure chimique est activée par le liquide.

Cake à l'orange, à la banane et aux canneberges

*L'ajout de noix concassées, d'écorces confites mélangées, de jus d'orange
fraîchement pressé et de canneberges sèches donne un cake riche et moelleux.*

Pour 8-10 personnes

INGRÉDIENTS

175 g/ 6 onces/ 1¹/₂ tasses de farine
   avec poudre levante
¹/₂ cuil. à café de levure chimique
150 g/ 5¹/₂ onces/ 1 tasse de sucre roux
2 bananes, écrasées

50 g/ 1³/₄ onces d'écorces confites
   mélangées, hachées
25 g/ 1 once de noix et noisettes
   mélangées, concassées
50 g/ 1³/₄ onces canneberges sèches
5-6 cuil. à soupe de jus d'orange

2 œufs, battus
150 ml/ ¹/₄ pinte/ ²/₃ tasse d'huile de
   tournesol
75 g/ 2³/₄ onces de sucre glace, tamisé
zeste râpé d'une orange

---

1 Beurrez un moule à cake de 900 g/ 2 lb et garnissez le fond de papier sulfurisé.

2 Tamisez la farine et la levure chimique dans un saladier. Ajoutez le sucre, les bananes, les écorces mélangées hachées, les noix et noisettes concassées et les canneberges.

3 Mélangez le jus d'orange, les œufs et l'huile jusqu'à ce que vous obteniez une préparation homogène. Ajoutez cette préparation aux ingrédients secs et remuez jusqu'à ce que le tout soit bien incorporé. Versez la pâte dans le moule préparé.

4 Faites cuire dans un four préchauffé à 180°C/ 350°F/ Thermostat 4, environ 1 heure, jusqu'à ce que le cake soit ferme au toucher ou jusqu'à ce qu'une aiguille en acier insérée en son centre en ressorte propre.

5 Démoulez le cake et laissez-le refroidir sur une grille.

6 Délayez le sucre glace avec un peu d'eau et nappez le cake d'un filet de glaçage. Parsemez dessus le zeste d'orange. Laissez le glaçage se solidifier avant de servir le gâteau en tranches.

MON CONSEIL

Ce cake se conserve 2-3 jours. Enveloppez-le soigneusement et conservez-le dans un endroit frais et sec.

Cake à la banane et aux dattes

*Ce cake est idéal servi à l'heure du thé ou du café où vous apprécierez
sa texture moelleuse et sa saveur voluptueuse.*

Serves 6-8

INGRÉDIENTS

225 g/ 8 onces/ 2 tasses de farine avec
   poudre levante
100 g/ 3¹/₂ onces/ ¹/₃ tasse de beurre,
   coupé en petits morceaux

75 g/ 2³/₄ onces/ ¹/₃ tasse de sucre en
   poudre
125 g/ 4¹/₂ onces de dattes
   dénoyautées, hachées
2 bananes, écrasées grossièrement

2 œufs, légèrement battus
2 cuil. à soupe de miel

1 Beurrez un moule à cake de 900 g/
2 lb et garnissez le fond de papier
sulfurisé.

2 Tamisez la farine dans un
saladier.

3 Incorporez le beurre dans la farine
en l'effritant du bout des doigts
jusqu'à ce que le mélange ressemble à
de la semoule.

4 Ajoutez le sucre, les dattes
hachées, les bananes, les œufs
battus et le miel aux ingrédients secs.
Amalgamez le tout pour former une
pâte molle qui tombe de la cuillère.

5 À l'aide d'une cuillère, versez la
pâte dans le moule préparé et lissez
la surface avec le dos d'un couteau.

6 Faites cuire dans un four
préchauffé à 160°C/ 325° F/
Thermostat 3, environ 1 heure ou
jusqu'à ce que le cake soit doré et
qu'une aiguille en acier insérée en
son centre en ressorte propre.

7 Laissez le cake refroidir dans le
moule avant de le démouler et
de le transférer sur une grille.

8 Servez le cake tiède ou froid,
coupé en tranches épaisses.

MON CONSEIL

*Ce cake se conserve pendant
plusieurs jours si vous le gardez
dans un récipient hermétique au
frais et au sec.*

Pain aux fruits en couronne

Ce pain sucré et riche conjugue alcool, noix et fruits, le tout en forme de couronne décorative qu'il est agréable de servir pour les fêtes de Noël. Selon votre préférence, vous pouvez remplacer le sucre glace par deux cuillerées à soupe de miel.

Pour 1 pain

INGRÉDIENTS

225 g/ 8 onces/ 2 tasses de farine
blanche brute

1/2 cuil. à café de sel

1 sachet de levure séchée instantanée

25 g/ 1 once/ 6 cuil. à café de beurre,
coupé en petits morceaux

125 ml/ 4 oz liquides/ 1/2 tasse de lait
tiède

1 œuf, battu

GARNITURE :

50 g/ 1³/₄ onces/ 10 cuil. à café de
beurre, ramolli

50 g/ 1³/₄ onces/ 3 cuil. à soupe de
sucre roux

25 g/ 1 once de noisettes concassées

25 g/ 1 once de gingembre confit,
haché

50 g/ 1³/₄ onces d'écorces confites
mélangées

1 cuil. à soupe de rhum ou de cognac

100 g/ 3¹/₂ onces/ ²/₃ tasse de sucre
glace

2 cuil. à soupe de jus de citron

1 Beurrez une plaque à pâtisserie. Tamisez la farine et le sel dans un saladier. Ajoutez la levure. Incorporez le beurre en l'effritant avec les doigts. Ajoutez le lait et l'œuf et amalgamez le tout pour former une pâte.

2 Déposez la pâte dans un saladier beurré, couvrez et laissez reposer dans un endroit chaud 40 minutes, jusqu'à ce que la pâte ait doublé de volume. Pétrissez délicatement la pâte pendant 1 minute pour l'aplatir. Roulez en un rectangle de 30 x 23 cm/ 12 x 9 pouces.

3 Pour la garniture, mélangez le beurre avec le sucre jusqu'à ce que vous obteniez une crème pâle et aérée. Ajoutez les noisettes, le gingembre, les écorces confites mélangées ainsi que le rhum ou le cognac. Étalez la garniture sur la pâte en laissant un bord de 2,5 cm/ 1 pouce.

4 Roulez la pâte en forme de gâteau roulé en partant d'un bord long. Découpez en tranches de 5 cm/ 2 pouces et disposez ces tranches bien serrées en cercle sur la plaque à pâtisserie, de manière à ce qu'elles se touchent.

Couvrez et laissez lever 30 minutes dans un endroit chaud.

5 Faites cuire dans un four préchauffé à 190°C/ 375°F/ Thermostat 5, pendant 20-30 minutes ou jusqu'à ce que le pain soit doré. Pendant ce temps, délayez le sucre glace avec suffisamment de jus de citron pour obtenir un glaçage épais.

6 Laissez refroidir le pain aux fruits légèrement avant de le napper de filets de glaçage. Laissez le glaçage se solidifier légèrement avant de servir le gâteau.

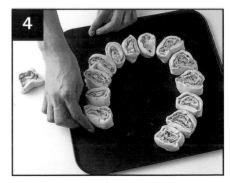

Pain aux dattes et au miel

Ce pain ne contient que des bonnes choses - des dattes hachées, des graines de sésame et du miel.
Pour un goûter léger, faites-le griller en tranches épaisses et tartinez de fromage frais.

Pour 1 pain

INGRÉDIENTS

250 g/ 9 onces/ 1¼ tasses de farine
  blanche brute
75 g/ 2¾ onces/ ¼ tasse de farine
  complète brute

½ cuil. à café de sel
1 sachet de levure séchée instantanée
200 ml/ 7 oz liquides/ ¾ tasse d'eau
  tiède

3 cuil. à soupe d'huile de tournesol
3 cuil. à soupe de miel
75 g/ 2¾ onces de dattes, hachées
2 cuil. à soupe de graines de sésame

1 Beurrez un moule à cake de 900 g/ 2 lb. Tamisez les deux farines dans un grand saladier et ajoutez le sel et la levure séchée.

2 Versez l'eau tiède, l'huile et le miel. Mélangez le tout pour former une pâte.

3 Posez la pâte sur une surface légèrement farinée et pétrissez pendant environ 5 minutes jusqu'à ce qu'elle soit homogène.

4 Déposez la pâte dans un saladier beurré, couvrez et laissez lever dans un endroit chaud environ 1 heure ou jusqu'à ce que la pâte ait doublé de volume.

5 Ajoutez les dattes et les graines de sésame tout en pétrissant. Façonnez la pâte et posez-la dans le moule.

6 Couvrez et laissez reposer dans un endroit chaud encore 30 minutes ou jusqu'à ce que la pâte soit élastique au toucher.

7 Faites cuire dans un four préchauffé à 220°C/ 425°F/ Thermostat 7, pendant 30 minutes ou jusqu'à ce que le pain fasse un son creux lorsque vous en tapotez le dessous.

8 Transférez le pain sur une grille et laissez refroidir. Servez coupé en tranches épaisses.

VARIANTE

Remplacez les graines de sésame par des graines de tournesol pour une texture légèrement différente, selon votre préférence.

MON CONSEIL

Si vous n'avez pas d'endroit chaud, placez le saladier contenant la pâte sur une casserole d'eau chaude et couvrez.

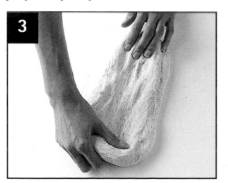

Cake au potiron

La purée de potiron utilisée dans ce gâteau lui donne tout son moelleux.
Il se déguste avec délice à n'importe quelle heure de la journée.

Pour 6-8 personnes

INGRÉDIENTS

450 g/ 1 lb de chair de potiron
125 g/ 4^1/2 onces/ ^{1}/2 tasse de beurre, ramolli
175 g/ 6 onces/ ^{3}/4 tasse de sucre en poudre

2 œufs, battus
225 g/ 8 onces/ 2 tasses de farine, tamisée
1^1/2 cuil. à café de levure chimique
^{1}/2 cuil. à café de sel

1 cuil. à café d'épices mélangées (allspice) en poudre
25 g/ 1 once de graines de potiron

1 Huilez un moule à cake de 900 g/ 2 lb.

2 Hachez le potiron en gros morceaux et enveloppez-les dans du papier d'aluminium beurré. Faites cuire dans un four préchauffé à 200°C/ 400°F/ Thermostat 6, pendant 30-40 minutes, jusqu'à ce que les morceaux soient tendres.

3 Laissez le potiron refroidir complètement avant de l'écraser en purée épaisse.

4 Dans un saladier, mélangez le beurre avec le sucre jusqu'à ce que vous obteniez une crème pâle et aérée. Ajoutez-y les œufs progressivement.

5 Ajoutez la purée de potiron, puis incorporez la farine, la levure chimique, le sel et les épices mélangées (allspice).

6 Incorporez délicatement les graines de potiron dans cette préparation, puis versez le tout à l'aide d'une cuillère dans le moule.

7 Faites cuire dans un four préchauffé à 160°C/ 325°F/ Thermostat 3, pendant environ 1 h 15 - 1 h 30 ou jusqu'à ce qu'une aiguille en acier insérée au centre du cake en ressorte propre.

8 Laissez le cake refroidir et servez tartiné de beurre, selon votre préférence.

MON CONSEIL

Pour vous assurer que la purée de potiron est bien sèche, placez-la dans une casserole sur feu moyen pendant quelques minutes, en remuant fréquemment jusqu'à ce qu'elle épaississe.

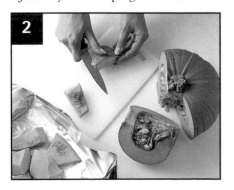

Pain aux fruits tropicaux

Ce pain au parfum de gingembre, de noix de coco et d'ananas apportera instantanément un rayon de soleil
à votre petit déjeuner. La mangue peut être remplacée par n'importe quel autre fruit sec ou du zeste d'orange.

Pour 1 pain

INGRÉDIENTS

350 g/ 12 onces/ 3 tasses de farine
    blanche brute
50 g/ 1³/₄ onces/ 5 cuil. à soupe de son
½ cuil. à café de sel
½ cuil. à café de gingembre en poudre
1 sachet de levure séchée instantanée
25 g/ 1 once/ 2 cuil. à soupe de sucre
    roux

25 g/ 1 once/ 6 cuil. à café de beurre,
    coupé en petits morceaux
250 ml/ 9 oz liquides/ 1 bonne tasse
    d'eau tiède
75 g/ 2³/₄ onces d'ananas confit,
    finement haché

25 g/ 1 once de mangue séchée,
    finement hachée
50 g/ 1³/₄ onces/ ²/₃ tasse de noix de
    coco séchée, grillée
1 œuf, battu
2 cuil. à soupe de noix de coco râpée

1 Beurrez une plaque à pâtisserie. Tamisez la farine dans un grand saladier. Ajoutez-y le son, le sel, le gingembre, la levure séchée et le sucre. Incorporez le beurre en l'effritant avec les doigts, puis ajoutez l'eau et amalgamez pour former une pâte.

2 Sur une surface légèrement farinée, pétrissez la pâte pendant environ 5-8 minutes ou jusqu'à ce que vous obteniez une pâte homogène (vous pouvez également utiliser un mixeur électrique muni d'un crochet de pétrissage). Placez la pâte dans un

récipient beurré, couvrez et laissez lever dans un endroit chaud jusqu'à ce que la pâte ait doublé de volume.

3 Ajoutez à la pâte l'ananas, la mangue et la noix de coco séchée tout en pétrissant. Façonnez la pâte en boule et placez cette boule sur la plaque à pâtisserie. Incisez le dessus avec le dos d'un couteau. Couvrez et laissez reposer encore 30 minutes dans un endroit chaud.

4 Badigeonnez le pain avec l'œuf et parsemez dessus les deux cuillerées à soupe de noix de coco. Faites cuire

dans un four préchauffé à 220°C/ 425°F/ Thermostat 7, pendant 30 minutes ou jusqu'à ce que le pain soit doré.

5 Laissez le pain refroidir sur une grille avant de servir.

MON CONSEIL

Pour tester le pain après la deuxième levée, enfoncez légèrement le doigt dans la pâte – si elle est levée suffisamment, celle-ci doit être élastique et 'rebondir'.

Pain citronné

Ce pain sucré est parfumé aux agrumes. Comme pour
le pain aux fruits tropicaux (voir page 80), il est excellent au petit déjeuner.

Pour 1 pain

INGRÉDIENTS

450 g/ 1 lb/ 4 tasses de farine blanche
  brute
1/2 cuil. à café de sel
50 g/ 1³/4 onces/ 9 cuil. à café de sucre
  en poudre
1 sachet de levure séchée instantanée

50 g/ 1³/4 onces/ 10 cuil. à café de
  beurre, coupé en petits morceaux
5-6 cuil. à soupe de jus d'orange
4 cuil. à soupe de jus de citron
3-4 cuil. à soupe de jus de citron vert
150 ml/ ¹/4 pinte/ ²/3 tasse d'eau tiède

1 orange
1 citron
1 citron vert
2 cuil. à soupe de miel liquide

1 Beurrez légèrement une plaque à pâtisserie.

2 Tamisez la farine et le sel dans un saladier. Ajoutez le sucre et la levure séchée et remuez.

3 Incorporez le beurre dans cette préparation en l'effritant avec les doigts. Ajoutez tous les jus de fruits et l'eau et amalgamez l'ensemble pour former une pâte.

4 Placez la pâte sur un plan de travail légèrement fariné et

pétrissez pendant 5 minutes (vous pouvez également utiliser un mixeur électrique muni d'un crochet de pétrissage). Placez la pâte dans un saladier beurré, couvrez et laissez lever dans un endroit chaud pendant 1 heure.

5 Pendant ce temps, râpez les zestes d'orange, de citron et de citron vert. Ajoutez les zestes de fruits à la pâte en pétrissant.

6 Divisez la pâte en deux boules, dont une légèrement plus grosse que l'autre.

7 Placez la grosse boule sur la plaque à pâtisserie et posez la petite boule par-dessus.

8 Enfoncez un doigt fariné dans le milieu de la pâte, couvrez et laissez lever pendant environ 40 minutes ou jusqu'à ce que la pâte soit élastique au toucher.

9 Faites cuire dans un four préchauffé à 220°C/ 425°F/ Thermostat 7, pendant 35 minutes. Sortez du four et glacez avec le miel.

Pain torsadé à la mangue

Ce pain sucré se compose d'une purée de mangue incorporée à la pâte,
ce qui le rend moelleux et lui donne un parfum exotique.

Pour 1 pain

INGRÉDIENTS

450 g/ 1 lb/ 4 tasses de farine blanche
  brute
1 cuil. à café de sel
1 sachet de levure séchée instantanée
1 cuil. à café de gingembre en poudre
50 g/ 1³/₄ onces/ 3 cuil. à soupe de
  sucre roux

40 g/ 1¹/₂ once/ 9 cuil. à café de beurre,
  coupé en petits morceaux
1 petite mangue, épluchée, dénoyautée
  et écrasée en purée
250 ml/ 9 oz liquides/ 1 bonne tasse
  d'eau tiède

2 cuil. à soupe de miel liquide
125 g/ 4¹/₂ onces/ ²/₃ tasse de raisins
  secs (raisins de Smyrne)
1 œuf, battu
sucre glace, pour saupoudrer

1 Beurrez une plaque à pâtisserie. Tamisez la farine et le sel dans un grand saladier, ajoutez-y en remuant la levure séchée, le gingembre en poudre et le sucre roux. Incorporez le beurre en l'effritant avec les doigts.

2 Ajoutez la purée de mangue, l'eau et le miel et amalgamez le tout pour former une pâte.

3 Placez la pâte sur une surface légèrement farinée et pétrissez pendant environ 5 minutes jusqu'à ce que vous obteniez une pâte homogène (vous pouvez aussi utiliser un mixeur

électrique muni d'un crochet de pétrissage). Placez la pâte dans un saladier beurré, couvrez et laissez lever dans un endroit chaud pendant environ 1 heure jusqu'à ce que la pâte ait doublé de volume.

4 Incorporez les raisins secs à la pâte tout en pétrissant et façonnez la pâte en deux boudins de 25 cm/ 10 pouces de long chacun. Tressez soigneusement les deux boudins de pâte ensemble et pincez les extrémités pour sceller. Déposez le pain sur la plaque à pâtisserie, couvrez et laissez reposer dans un endroit chaud encore 40 minutes.

5 Badigeonnez le pain avec l'œuf et faites cuire dans un four préchauffé à 220°C/ 425°F/ Thermostat 7, pendant 30 minutes ou jusqu'à ce que le pain soit bien doré. Laissez refroidir sur une grille. Saupoudrez de sucre glace avant de servir.

MON CONSEIL

Vous savez quand le pain
est cuit s'il fait un son creux lorsque
vous en tapotez le dessous.

Pain au chocolat

Pour tous les amoureux du chocolat, ce pain est très agréable
à réaliser et encore plus à déguster.

Pour 1 pain

INGRÉDIENTS

450 g/ 1 lb/ 4 tasses de farine blanche
   brute
25 g/ 1 once/ $^1/_4$ tasse de cacao en
   poudre

1 cuil. à café de sel
1 sachet de levure séchée instantanée
25 g/ 1 once/ 6 cuil. à café de sucre
   roux

1 cuil. à soupe d'huile
300 ml/ $^1/_2$ pinte/ 1 $^1/_3$ tasse d'eau
   tiède

1   Beurrez légèrement un moule à cake de 900 g/ 2 lb.

2   Tamisez la farine et le cacao en poudre dans un grand saladier.

3   Ajoutez le sel, la levure séchée et le sucre roux et remuez.

4   Versez l'huile et l'eau tiède dans ce mélange et amalgamez le tout pour obtenir une pâte.

5   Placez la pâte sur une surface légèrement farinée et pétrissez pendant 5 minutes.

6   Placez la pâte dans un saladier beurré, couvrez et laissez lever dans un endroit chaud pendant environ 1 heure ou jusqu'à ce que la pâte ait doublé de volume.

7   Pétrissez à nouveau la pâte et donnez-lui une forme de pain. Placez le pain ainsi façonné dans le moule préparé, couvrez et laissez lever dans un endroit chaud encore 30 minutes.

8   Faites cuire dans un four préchauffé à 200°C/ 400°F/ Thermostat 6, pendant 25-30 minutes ou jusqu'à ce que le pain fasse un son creux lorsque vous en tapotez le dessous.

9   Transférez le pain sur une grille et laissez refroidir. Coupez en tranches avant de servir.

MON CONSEIL

Ce pain peut être coupé en
tranches et tartiné de beurre ou
bien légèrement grillé.

Pain 'soda'

*Il est préférable de manger cette variante
du pain 'soda' irlandais tout frais.*

Pour 1 pain

INGRÉDIENTS

300 g/ 10¹/₂ onces/ 2¹/₂ tasses de farine
complète
300 g/ 10¹/₂ onces/ 2¹/₂ tasses de farine
ordinaire

2 cuil. à café de levure chimique
1 cuil. à café de bicarbonate de soude
2 cuil. à soupe de sucre en poudre

1 cuil. à café de sel
1 œuf, battu
425 ml/ 15 oz liquides/ 1³/₄ tasses de
yaourt nature

1 Beurrez et farinez une plaque à pâtisserie.

2 Tamisez les deux farines, la levure chimique, le bicarbonate de soude, le sucre et le sel dans un grand saladier.

3 Dans un pichet, battez ensemble l'œuf et le yaourt et versez cette préparation dans les ingrédients secs. Amalgamez le tout jusqu'à ce que vous obteniez une pâte souple et collante.

4 Sur une surface légèrement farinée, pétrissez la pâte pendant quelques minutes jusqu'à ce qu'elle

soit homogène, puis façonnez-la en une boule plate d'environ 5 cm d'épaisseur.

5 Transférez le pain sur la plaque à pâtisserie. Marquez à partir du centre une croix sur le dessus du pain.

6 Faites cuire dans un four préchauffé à 190°C/ 375°F/ Thermostat 5, pendant environ 40 minutes ou jusqu'à ce que le pain soit bien doré.

7 Transférez le pain sur une grille et laissez refroidir. Découpez en tranches avant de servir.

VARIANTE

*Pour une version fruitée
de ce pain soda, ajoutez
125 g/ 4¹/₂ onces/ ³/₄ tasse
de raisins secs aux
ingrédients secs à l'étape n° 2.*

Pain épicé

*Servez ce pain épicé dès sa sortie du four avec votre soupe préférée
pour un déjeuner ou un dîner léger.*

Pour 1 pain

INGRÉDIENTS

225 g/ 8 onces/ 2 tasses de farine avec
   poudre levante
100 g/ 3¹/₂ onces/ ³/₄ tasse de farine
   ordinaire

1 cuil. à café de levure chimique
¹/₄ cuil. à café de sel
¹/₄ cuil. à café de poivre de Cayenne
2 cuil. à café de curry en poudre

2 cuil. à café de graines de pavot
25 g/ 1 once/ 6 cuil. à café de beurre,
   coupé en petits morceaux
150 ml/ ¹/₄ pinte/ ²/₃ tasse de lait
1 œuf, battu

1 Beurrez une plaque à pâtisserie.

2 Tamisez la farine avec poudre
levante et la farine ordinaire dans
un saladier et ajoutez-y la levure
chimique, le sel, le poivre de Cayenne,
le curry en poudre et les graines de
pavot.

3 Incorporez le beurre en l'effritant
avec les doigts jusqu'à ce que
l'ensemble soit bien mélangé.

4 Ajoutez le lait et l'œuf battu et
travaillez pour obtenir une pâte
souple.

5 Retournez la pâte sur une surface
légèrement farinée, puis pétrissez
légèrement pendant quelques minutes.

6 Formez une boule de pâte et
marquez à partir du centre une
croix sur le dessus.

7 Faites cuire 45 minutes dans un
four préchauffé à 190°C/ 375°F/
Thermostat 5.

8 Transférez le pain sur une grille
et laissez refroidir. Servez en
morceaux ou en tranches.

MON CONSEIL

*Si le pain semble dorer trop
rapidement, couvrez-le avec
du papier d'aluminium pour le
restant de la cuisson.*

Pain à la farine de maïs

Ce pain à la mexicaine accompagne agréablement
les plats pimentés ou se mange seul comme en-cas.

Pour 12 portions

INGRÉDIENTS

125 g/ 4¹/₂ onces/ 1 tasse de farine
125 g/ 4¹/₂ onces/ 1 tasse de farine de
   maïs
1 cuil. à soupe de levure chimique
¹/₂ cuil. à café de sel

1 piment vert, épépiné et finement
   haché
5 ciboules, finement hachées
2 œufs

142 ml/ 4¹/₂ oz liquides/une bonne
   ¹/₂ tasse de crème aigre
125 ml/ 4 oz liquides/ ¹/₂ tasse d'huile
   de tournesol

1 Beurrez un moule à gâteau carré de 20 cm/ 8 pouces. Garnissez le fond du moule de papier sulfurisé.

2 Dans un grand saladier, mélangez la farine, la farine de maïs, la levure chimique et le sel.

3 Ajoutez le piment finement haché et les ciboules aux ingrédients secs et mélangez bien.

4 Dans un pichet, battez les œufs avec la crème aigre et l'huile de tournesol. Versez cette préparation dans le saladier contenant les ingrédients secs. Amalgamez bien le tout rapidement.

5 Versez la préparation dans le moule préparé.

6 Faites cuire dans un four préchauffé à 200°C/ 400°F/ Thermostat 6, pendant 20-25 minutes ou jusqu'à ce que le pain ait levé et ait légèrement doré.

7 Laissez le pain refroidir légèrement avant de le démouler. Coupez en barres ou en carrés avant de servir.

VARIANTE

Ajoutez 125 g/ 4¹/₂ onces de grains de maïs à la préparation à l'étape n° 3, selon votre préférence.

Pain au fromage et aux pommes de terre

Ce délicieux pain au fromage est idéal comme en-cas salé.
Les pommes de terre en purée lui donnent une superbe texture moelleuse.

Pour 4 personnes

INGRÉDIENTS

225 g/ 8 onces/ 2 tasses de farine
1 cuil. à café de sel

½ cuil. à café de moutarde en poudre
2 cuil. à café de levure chimique
125 g/ 4½ onces de Red Leicester
(fromage anglais), râpé

175 g/ 6 onces de pommes de terre,
cuites et écrasées en purée
200 ml/ 7 oz liquides/ ¾ tasse d'eau
1 cuil. à soupe d'huile

1 Beurrez légèrement une plaque à pâtisserie.

2 Tamisez la farine, le sel, la moutarde en poudre et la levure chimique dans un saladier.

3 Réservez deux cuillerées à soupe de fromage râpé et mélangez le reste dans le saladier avec les pommes de terre cuites et écrasées en purée.

4 Versez l'eau et l'huile, et amalgamez tous les ingrédients (la préparation est liquide à ce stade). Mélangez le tout pour obtenir une pâte souple.

5 Déposez la pâte sur une surface farinée et formez une boule plate de 20 cm/ 8 pouces.

6 Placez la boule sur la plaque à pâtisserie et incisez le dessus avec un couteau pour marquer 4 portions, sans couper jusqu'au fond. Parsemez dessus le fromage réservé.

7 Faites cuire dans un four préchauffé à 220°C/ 425°F/ Thermostat 7, pendant environ 25-30 minutes.

8 Transférez le pain sur une grille et laissez refroidir. Servez le pain aussi frais que possible.

MON CONSEIL

Vous pouvez utiliser pour ce pain de la purée instantanée, si vous le souhaitez.

VARIANTE

Ajoutez 50 g/ 1¾ onces de jambon haché à la préparation à l'étape n° 3, selon votre préférence.

Pain au fromage et au jambon

Cette recette permet de réaliser très rapidement un pain savoureux, et utilise de la farine à poudre levante et de la levure chimique pour garantir une levée parfaite. Une fois les ingrédients liquides ajoutés, il faut travailler rapidement.

Pour 6 personnes

INGRÉDIENTS

225 g/ 8 onces/ 2 tasses de farine avec poudre levante
1 cuil. à café de sel
2 cuil. à café de levure chimique

1 cuil. à café de paprika
75 g/ 2³/4 onces/ ¹/3 tasse de beurre, coupé en petits morceaux
125 g/ 4¹/2 onces de fromage fort, râpé

75 g/ 2³/4 onces de jambon fumé, haché
2 œufs, battus
150 ml/ ¹/4 pinte/ ²/3 tasse de lait

1 Beurrez un moule à cake de 450 g/ 1 lb et garnissez le fond de papier sulfurisé.

2 Tamisez la farine, le sel, la levure chimique et le paprika dans un saladier.

3 Incorporez le beurre en l'effritant avec les doigts jusqu'à ce que la préparation ressemble à de la semoule. Ajoutez en remuant le fromage et le jambon.

4 Ajoutez les œufs battus et le lait aux ingrédients secs dans le saladier et amalgamez bien le tout.

5 À l'aide d'une cuillère, déposez la préparation au fromage et au jambon dans le moule préparé.

6 Faites cuire dans un four préchauffé à 180°C/ 350°F/ Thermostat 4, pendant environ 1 heure ou jusqu'à ce que le pain ait bien levé.

7 Laissez le pain refroidir dans le moule, puis démoulez et transférez sur une grille pour le laisser refroidir légèrement.

8 Servez le pain coupé en tranches épaisses.

MON CONSEIL

Il est préférable de manger ce pain savoureux le jour même car il ne se conserve pas très longtemps.

VARIANTE

Pour ce pain, vous pouvez utiliser n'importe quel fromage à pâte dure, râpé, ou même un fromage moins fort, selon votre préférence.

Pain au fromage et à la ciboulette

Vous réaliserez ce pain très rapidement. Il a un bon goût de fromage et
pour le savourer au maximum, mangez-le le plus frais possible.

Pour 8 personnes

INGRÉDIENTS

225 g/ 8 onces/ 2 tasses de farine avec
    poudre levante
1 cuil. à café de sel
1 cuil. à café de moutarde en poudre

100 g/ 3¹/₂ onces de fromage fort, râpé
2 cuil. à soupe de ciboulette fraîche
    hachée
1 œuf, battu

25 g/ 1 once/ 6 cuil. à café de beurre,
    fondu
150 ml/ ¹/₄ pinte/ ²/₃ tasse de lait

1 Beurrez un moule à gâteau carré
de 23 cm/ 9 pouces et garnissez le
fond de papier sulfurisé.

2 Tamisez la farine, le sel et la
moutarde en poudre dans un
grand saladier.

3 Réservez trois cuillerées à soupe
de fromage fort pour parsemer
sur le pain avant sa cuisson au four.

4 Ajoutez le reste du fromage
dans le saladier ainsi que la
ciboulette fraîche hachée. Mélangez
bien le tout.

5 Ajoutez l'œuf battu, le beurre
fondu et le lait et amalgamez
parfaitement l'ensemble.

6 Versez la préparation dans le moule
et étalez-la avec un couteau.
Parsemez dessus le fromage râpé réservé.

7 Faites cuire dans un four préchauffé
à 190°C/ 375°F/ Thermostat 5,
pendant environ 30 minutes.

8 Laissez le pain refroidir légèrement
dans le moule. Démoulez sur une
grille pour qu'il refroidisse davantage.
Coupez en triangles avant de servir.

MON CONSEIL

Pour cette recette, vous pouvez
utiliser n'importe quel fromage fort
à pâte dure.

Petits pains à l'ail

Ces petits pains ne ressemblent pas du tout au pain à l'ail acheté tout prêt dans le commerce.
Ils ont un parfum plus subtil et sont plus moelleux.

Pour 8 petits pains

INGRÉDIENTS

12 gousses d'ail, épluchées
350 ml/ 12 oz liquides/ 1¹/₂ tasses de lait
450 g/ 1 lb/ 4 tasses de farine blanche brute

1 cuil. à café de sel
1 sachet de levure séchée instantanée
1 cuil. à soupe de fines herbes séchées
2 cuil. à soupe d'huile de tournesol

1 œuf, battu
lait, pour badigeonner
sel gemme pour saupoudrer

1 Beurrez une plaque à pâtisserie. Mettez les gousses d'ail et le lait dans une casserole, portez à ébullition et laissez cuire 15 minutes à feu doux. Laissez refroidir légèrement, puis malaxez au mixeur pour réduire l'ail en purée.

2 Tamisez la farine et le sel dans un grand saladier et ajoutez la levure séchée et les fines herbes.

3 Ajoutez le lait parfumé à l'ail, l'huile de tournesol et l'œuf battu aux ingrédients secs et amalgamez le tout pour former une pâte.

4 Placez la pâte sur un plan de travail légèrement fariné et pétrissez doucement pendant quelques minutes jusqu'à ce que vous obteniez une pâte homogène et souple.

5 Placez la pâte dans un saladier beurré, couvrez et laissez lever dans un endroit chaud pendant environ 1 heure ou jusqu'à ce que la pâte ait doublé de volume.

6 Pétrissez à nouveau la pâte pendant 2 minutes pour l'aplatir. Formez huit petites boules et déposez-les sur la plaque à pâtisserie. Incisez le dessus de chaque petit pain avec un couteau, couvrez et laissez reposer 15 minutes.

7 Badigeonnez les petits pains de lait et saupoudrez le dessus de sel gemme.

8 Faites cuire dans un four préchauffé à 220°C/ 425°F/ Thermostat 7, pendant 15-20 minutes.

9 Transférez les petits pains sur une grille et laissez refroidir avant de servir.

MON CONSEIL

Saupoudrez les petits pains avec une gousse d'ail finement hachée à l'étape n° 7, selon votre préférence.

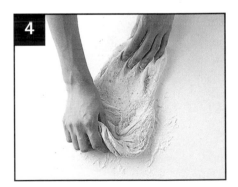

Mini-Focaccia

Délicieux pains italiens à l'huile d'olive

Pour 4 petits pains

INGRÉDIENTS

350 g/ 12 onces/ 3 tasses de farine
blanche brute
½ cuil. à café de sel
1 sachet de levure déshydratée
instantanée
2 cuil. à soupe d'huile d'olive

250 ml/ 9 oz liquides d'eau tiède
100 g/ 3½ onces d'olives vertes ou
noires, coupées en deux

GARNITURE :
2 oignons rouges, coupés en lamelles
2 cuil. à soupe d'huile d'olive
1 cuil. à café de sel marin
1 cuil. à soupe de feuilles de thym

1 Huilez légèrement plusieurs plaques à pâtisserie. Tamisez la farine et le sel dans un grand saladier, puis ajoutez la levure. Versez l'huile d'olive et l'eau tiède et amalgamez le tout pour former une pâte.

2 Transférez la pâte sur une surface légèrement farinée et pétrissez-la environ 10 minutes (vous pouvez également utiliser un mixeur électrique muni d'un crochet de pétrissage et pétrir 7-8 minutes).

3 Placez la pâte dans un saladier beurré, couvrez et laissez reposer dans un endroit chaud environ 1 h - 1 h 30, jusqu'à ce que la pâte ait doublé de volume. Pétrissez à nouveau la pâte 1-2 minutes pour l'aplatir.

4 Ajoutez à la pâte la moitié des olives tout en pétrissant. Divisez la pâte en quatre puis formez quatre disques. Placez-les sur les plaques à pâtisserie et enfoncez le doigt dans la pâte pour créer des petites fossettes.

5 Pour la garniture, parsemez les oignons rouges et le reste des olives sur les disques de pâte. Versez sur chacun un filet d'huile d'olive et saupoudrez chaque petit pain de sel marin et de feuilles de thym. Couvrez et laissez la pâte lever à nouveau pendant 30 minutes.

6 Faites cuire dans un four préchauffé à 190°C/ 375°F/ Thermostat 5, pendant 20-25 minutes ou jusqu'à ce que les Focaccia soient bien cuites et dorées.

7 Transférez sur une grille et laissez refroidir avant de servir.

VARIANTE

Utilisez la même quantité de pâte pour faire une grosse Focaccia, selon votre préférence.

Petits pains aux tomates séchées au soleil

Ces petits pains blancs renferment des tomates séchées au soleil finement hachées.
Ces tomates sont vendues en bocaux et sont disponibles dans la plupart des supermarchés.

Pour 8 petits pains

INGRÉDIENTS

225 g/ 8 onces/ 2 tasses de farine
   blanche brute
1/2 cuil. à café de sel
1 sachet de levure séchée instantanée

100 g/ 3 1/2 onces/ 1/3 tasse de beurre,
   fondu et refroidi légèrement
3 cuil. à soupe de lait, tiédi
2 œufs, battus

50 g/ 1 3/4 onces de tomates séchées au
   soleil, bien égouttées et finement
   hachées
lait, pour badigeonner

1 Beurrez légèrement une plaque à pâtisserie.

2 Tamisez la farine et le sel dans un grand saladier. Ajoutez la levure en remuant, puis versez le beurre, le lait et les œufs. Amalgamez le tout pour former une pâte.

3 Retournez la pâte sur une surface légèrement farinée et pétrissez environ 5 minutes (vous pouvez également utiliser un mixeur électrique muni d'un crochet de pétrissage).

4 Déposez la pâte dans un saladier beurré, couvrez et laissez lever dans un endroit chaud pendant 1 h - 1 h 30, jusqu'à ce que la pâte ait doublé de volume. Pétrissez à nouveau la pâte pendant quelques minutes pour l'aplatir.

5 Ajoutez à la pâte les tomates séchées au soleil tout en pétrissant et en saupoudrant le plan de travail de farine supplémentaire car les tomates sont assez huileuses.

6 Divisez la pâte en huit boules et placez-les sur la plaque à pâtisserie. Couvrez et laissez lever pendant environ 30 minutes, jusqu'à ce que les petits pains aient doublé de volume.

7 Badigeonnez les petits pains de lait et faites cuire dans un four préchauffé à 230°C/ 450°F/ Thermostat 8, pendant 10-15 minutes jusqu'à ce que les petits pains soient bien dorés.

8 Transférez les petits pains sur une grille et laissez refroidir légèrement avant de servir.

MON CONSEIL

La levure séchée instantanée utilisée dans cette recette est facile à trouver dans la plupart des supermarchés.

Croissants au thym

Ces pâtisseries salées ressemblent beaucoup aux croissants traditionnels et sont parfaites comme en-cas rapide et savoureux. Vous pouvez également en faire des torsades, selon votre préférence.

Pour 8 croissants

INGRÉDIENTS

250 g/ 9 onces de pâte feuilletée achetée toute prête

100 g/ 3½ onces/ ⅓ tasse de beurre, ramolli

1 gousse d'ail, pressée

1 cuil. à café de jus de citron

1 cuil. à café de thym séché

sel et poivre

1 Beurrez légèrement une plaque à pâtisserie.

2 Sur une surface légèrement farinée, étalez la pâte en une abaisse ronde de 25 cm/ 10 pouces et coupez en 8 triangles.

3 Dans un petit saladier, mélangez le beurre ramolli, la gousse d'ail, le jus de citron et le thym séché jusqu'à ce que vous obteniez une pâte crémeuse. Salez et poivrez.

4 Tartinez chaque triangle de pâte d'un peu de beurre au thym, en le répartissant également entre eux.

5 Roulez délicatement chaque triangle sur lui-même en commençant par le bord le plus large.

6 Disposez les croissants sur la plaque à pâtisserie préparée et réfrigérez 30 minutes.

7 Humidifiez la plaque à pâtisserie d'eau froide. Ceci va créer de la vapeur dans le four pendant la cuisson des croissants et faciliter la levée de la pâte.

8 Faites cuire dans un four préchauffé à 200°C/ 400°F/ Thermostat 6, pendant 10-15 minutes, jusqu'à ce que les croissants soient bien levés et dorés.

MON CONSEIL

Les herbes séchées ont une saveur plus prononcée que les herbes fraîches, ce qui les rend particulièrement adaptées à cette recette. Les croissants peuvent être préparés avec d'autres herbes séchées de votre choix, telles que le romarin et la sauge, ou des fines herbes mélangées.

Scones au fromage et à la moutarde

Ces scones maison ont un goût original
grâce à l'ajout de fromage fort râpé et de moutarde.

Pour 8 scones

INGRÉDIENTS

225 g/ 8 onces/ 2 tasses de farine avec
    poudre levante
1 cuil. à café de levure chimique
pincée de sel

50 g/ 1³/₄ onces/ 10 cuil. à café de
    beurre, coupé en petits morceaux
125 g/ 4¹/₂ onces de fromage fort, râpé
1 cuil. à café de moutarde en poudre

150 ml/ ¹/₄ pinte/ ²/₃ tasse de lait
poivre

1 Beurrez légèrement une plaque
à pâtisserie.

2 Tamisez la farine, la levure
chimique et le sel dans un
saladier. Incorporez le beurre en
l'effritant avec les doigts jusqu'à ce
que le mélange ressemble à de la
chapelure.

3 Ajoutez le fromage râpé, la
moutarde et suffisamment de
lait pour former une pâte souple.

4 Sur une surface légèrement farinée,
pétrissez délicatement la pâte, puis

aplatissez-la avec la paume de la main à
une épaisseur d'environ 2,5 cm/ 1 pouce.

5 Coupez la pâte en 8 triangles avec
un couteau. Badigeonnez chaque
triangle d'un peu de lait et saupoudrez
de poivre à votre goût.

6 Faites cuire dans un four préchauffé
à 220°C/ 425°F/ Thermostat 7,
pendant 10-15 minutes jusqu'à ce que les
scones soient bien dorés.

7 Transférez les scones sur une grille
et laissez refroidir légèrement
avant de servir.

MON CONSEIL

Il est préférable de manger les
scones le jour même car ils sont vite
rassis. Servez-les coupés en deux
et tartinés de beurre.

Sablés au fromage

Ces biscuits salés ont un délicieux goût de beurre.
Pour les rendre encore plus savoureux, utilisez de préférence un fromage fort.

Pour environ 35 sablés

INGRÉDIENTS

150 g/ 5^1/$_2$ onces/ 1^1/$_4$ tasses de farine
150 g/ 5^1/$_2$ onces de fromage fort, râpé

150 g/ 5^1/$_2$ onces/ ^{2}/$_3$ tasse de beurre, coupé en petits morceaux
1 jaune d'œuf

graines de sésame, pour saupoudrer

1 Beurrez légèrement plusieurs plaques à pâtisserie.

2 Mélangez la farine avec le fromage dans un saladier.

3 Ajoutez le beurre au mélange de farine et de fromage et malaxez bien le tout avec les doigts.

4 Ajoutez le jaune d'œuf et mélangez pour obtenir une pâte. Enveloppez la pâte et laissez refroidir au réfrigérateur pendant environ 30 minutes.

5 Sur une surface légèrement farinée, roulez la pâte au fromage finement. Découpez des cercles de 6 cm/ 2^1/$_2$ pouces, et continuez de rouler les restes de pâte jusqu'à ce que vous obteniez environ 35 sablés.

6 Placez les sablés sur les plaques à pâtisserie préparées et parsemez dessus les graines de sésame.

7 Faites cuire dans un four préchauffé à 200°C/ 400°F/ Thermostat 6, pendant 20 minutes, jusqu'à ce que les sablés soient légèrement dorés.

8 Transférez les sablés au fromage sur une grille et laissez refroidir légèrement avant de servir.

MON CONSEIL

Pour ces biscuits salés, vous pouvez découper n'importe quelle forme. Les enfants auront plaisir à découper des animaux ou autres formes amusantes.

Biscuits salés au curry

Lorsque vous faites ces biscuits, essayez différents types de curry en poudre
jusqu'à ce vous en trouviez un à votre goût.

Pour 40 biscuits

INGRÉDIENTS

100 g/ 3¹/₂ onces/ ³/₄ tasse de farine
1 cuil. à café de sel
2 cuil. à café de curry en poudre

100 g/ 3¹/₂ onces de Cheshire (fromage anglais à pâte dure au goût velouté), râpé
100 g/ 3¹/₂ onces de parmesan, râpé

100 g/ 3¹/₂ onces/ ¹/₃ tasse de beurre, ramolli

1 Beurrez légèrement environ 4 plaques à pâtisserie.

2 Tamisez la farine et le sel dans un saladier.

3 Ajoutez le curry en poudre ainsi que le Cheshire et le parmesan râpé. Incorporez le beurre ramolli en l'effritant avec les doigts jusqu'à ce que le mélange forme une pâte souple.

4 Sur une surface légèrement farinée, roulez la pâte finement en forme de rectangle.

5 À l'aide d'un emporte-pièce de 5 cm/ 2 pouces, découpez 40 biscuits ronds.

6 Disposez les biscuits sur les plaques à pâtisserie.

7 Faites cuire 10-15 minutes dans un four préchauffé à 180°C/ 350°F/ Thermostat 4.

8 Laissez les biscuits refroidir légèrement sur les plaques à pâtisserie. Transférez les biscuits sur une grille jusqu'à ce qu'ils soient complètement refroidis et croustillants, puis servez.

MON CONSEIL

Ces biscuits peuvent être conservés pendant plusieurs jours dans une boîte hermétique ou en plastique.

Pudding au fromage

Ce délicieux pudding au fromage a la texture d'un soufflé
sans toutefois lever comme un soufflé traditionnel.

Pour 4 personnes

INGRÉDIENTS

150 g/ 5^{1}/$_2$ onces/ 2^{1}/$_2$ tasses de
chapelure fraîche (pain blanc)
100 g/ 3^{1}/$_2$ onces de gruyère, râpé

150 ml/ ^{1}/$_4$ pinte/ ^{2}/$_3$ tasse de lait tiède
125 g/ 4^{1}/$_2$ onces/ ^{1}/$_2$ tasse de beurre,
fondu
2 œufs, jaunes et blancs séparés

sel et poivre
2 cuil. à soupe de persil frais haché

1 Beurrez un moule à soufflé de
2 pintes/ 1 litre/ 4 tasses pouvant
aller au four.

2 Placez la chapelure et le fromage
dans un saladier et mélangez.

3 Versez le lait sur le mélange de
fromage et de chapelure et
remuez pour mélanger. Ajoutez le
beurre fondu, les jaunes d'œufs, le sel,
le poivre et le persil. Mélangez bien.

4 Battez les blancs d'œufs en neige.
Incorporez la préparation au
fromage dans les blancs d'œufs.

5 Versez le mélange dans le plat
préparé allant au four.

6 Faites cuire le pudding dans un
four préchauffé à 190°C/ 375°F/
Thermostat 5, pendant environ
45 minutes ou jusqu'à ce qu'il soit doré
et légèrement levé et qu'une aiguille en
acier insérée au centre du pudding en
ressorte propre.

7 Servez le pudding au fromage
chaud, avec une salade verte.

VARIANTE

N'importe quel fromage fort de
votre choix peut être utilisé à la
place du gruyère pour préparer
ce délicieux pudding salé.

MON CONSEIL

Pour un plat légèrement
plus diététique, remplacez le pain
blanc par du pain complet
pour la chapelure.

Tourtes au fromage et à l'oignon

Ces tourtes croustillantes sont garnies d'un mélange savoureux d'oignons,
d'ail et de persil, et sont idéales comme casse-croûte.

Pour 4 tourtes

INGRÉDIENTS

3 cuil. à soupe d'huile végétale

4 oignons, épluchés et finement hachés

4 gousses d'ail, pressées

4 cuil. à soupe de persil frais, finement
haché

75 g/ 2³/₄ onces de fromage fort, râpé

sel et poivre

PÂTE :

175 g/ 6 onces/ 1¹/₂ tasses de farine

¹/₂ cuil. à café de sel

100 g/ 3¹/₂ onces/ ¹/₃ tasse de beurre,
coupé en petits morceaux

3-4 cuil. à soupe d'eau

1 Faites chauffer l'huile dans une poêle. Ajoutez les oignons et l'ail et faites-les revenir 10-15 minutes. Retirez la poêle du feu et ajoutez le persil et le fromage en remuant puis assaisonnez.

2 Pour faire la pâte, tamisez la farine et le sel dans un saladier et incorporez le beurre en l'effritant du bout des doigts jusqu'à ce que le mélange ressemble à de la chapelure. Ajoutez l'eau et mélangez pour obtenir une pâte.

3 Sur une surface légèrement farinée, roulez la pâte et coupez-la en huit portions.

4 Étalez chaque portion pour former un disque de 10 cm/ 4 pouces et utilisez-en la moitié pour garnir le fond de quatre moules à tartelettes.

5 Garnissez chaque fond de tartelette d'un quart de la préparation à l'oignon. Couvrez avec les quatre disques de pâte restants. Effectuez une petite entaille sur le dessus de chaque tourte avec la pointe d'un couteau et scellez les bords avec le dos d'une cuillère à café.

6 Faites cuire 20 minutes dans un four préchauffé à 220°C/ 425°F/ Thermostat 7. Servez chaud ou froid.

MON CONSEIL

Vous pouvez préparer la garniture à l'oignon à l'avance et la conserver au réfrigérateur jusqu'au moment voulu.

Tarte Tatin à l'oignon rouge

La pâte feuilletée achetée toute prête convient particulièrement bien à cette recette
et vous permet de créer une tarte salée en très peu de temps.

Pour 4 personnes

INGRÉDIENTS

50 g/ 1³/₄ onces/ 10 cuil. à café de
  beurre
25 g/ 1 once/ 6 cuil. à café de sucre

500 g/ 1 lb 2 onces d'oignons rouges,
  épluchés et coupés en quartiers
3 cuil. à soupe de vinaigre de vin rouge
2 cuil. à soupe de feuilles de thym frais

250 g/ 8 onces de pâte feuilletée
  achetée toute prête
sel et poivre

1 Placez le beurre et le sucre dans une poêle de 23 cm/ 9 pouces allant au four et faites fondre à feu moyen.

2 Ajoutez les quartiers d'oignons rouges et faites-les revenir à feu doux pendant 10-15 minutes jusqu'à ce qu'ils soient dorés, en remuant de temps en temps.

3 Ajoutez le vinaigre de vin rouge et les feuilles de thym dans la poêle. Salez et poivrez, puis faites cuire à feu moyen jusqu'à ce que le liquide ait réduit et que les morceaux d'oignons rouges soient nappés de sauce beurrée.

4 Sur une surface légèrement farinée, roulez la pâte en une abaisse ronde légèrement plus grande que la poêle.

5 Posez la pâte sur la préparation aux oignons et pressez du bout des doigts, en rentrant les bords pour sceller la pâte.

6 Faites cuire 20-25 minutes dans un four préchauffé à 180°C/ 350°F/ Thermostat 4. Laissez la tarte reposer 10 minutes.

7 Pour démouler, placez un plat sur la poêle et retournez délicatement

de sorte que la pâte devienne le fond de la tarte. Servez la tarte tiède.

VARIANTE

Remplacez les oignons rouges
par des échalotes, en les laissant entières,
selon votre préférence.

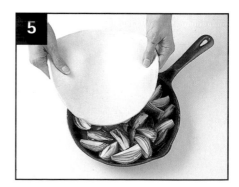

Feuilleté aux pommes de terre

Avec sa garniture savoureuse, ce feuilleté est une bonne façon de servir les pommes de terre en plat d'accompagnement à tout repas. Ou bien servez-le avec une salade pour un déjeuner léger.

Pour 6 personnes

INGRÉDIENTS

750 g/ 1 lb 9 onces de pommes de
  terre, épluchées et coupées en fines
  rondelles
2 ciboules finement hachées

1 oignon rouge, finement haché
150 ml/ ¼ pinte/ ⅔ tasse de crème
  épaisse

500 g/ 1 lb 2 onces de pâte feuilletée
  achetée toute prête
2 œufs, battus
sel et poivre

1 Beurrez légèrement une plaque à pâtisserie. Faites bouillir une casserole d'eau, ajoutez les pommes de terre en rondelles, portez à nouveau à ébullition puis laissez cuire quelques minutes à feu doux. Égouttez les rondelles de pommes de terre et laissez refroidir. Épongez-les avec de l'essuie-tout pour bien les sécher.

2 Dans un saladier, mélangez les ciboules, l'oignon rouge et les rondelles de pommes de terre cuites. Versez 2 cuillerées à soupe de crème et assaisonnez généreusement.

3 Divisez la pâte en deux et roulez-en un morceau en forme de disque de 23 cm/ 9 pouces. Roulez la pâte restante en disque de 25 cm/ 10 pouces.

4 Posez le petit disque sur la plaque à pâtisserie et garnissez de préparation aux pommes de terre, en laissant un bord de 2,5 cm/ 1 pouce. Badigeonnez ce bord d'un peu d'œuf battu.

5 Recouvrez du grand cercle, scellez bien et pincez les bords de la pâte. Découpez un trou au milieu de la tourte pour laisser passer la vapeur et avec le dos d'un couteau, dessinez un motif au choix. Badigeonnez d'œuf battu et faites cuire 30 minutes dans un four préchauffé à 200°C/ 400°F/ Thermostat 6.

6 Mélangez le reste de l'œuf battu avec le reste de crème et versez ce mélange dans la tourte par le trou fait en son centre. Remettez au four 15 minutes, puis laissez refroidir 30 minutes. Servez tiède ou froid.

MON CONSEIL

La garniture peut être préparée jusqu'à 4 heures à l'avance.

Tartelettes à la tomate fraîche

*Ces tartelettes à la tomate doivent être servies le plus rapidement possible
pour apprécier le croustillant et le parfum de beurre de la pâte feuilletée.*

Pour 6 personnes

INGRÉDIENTS

250 g/ 9 onces de pâte feuilletée
   achetée toute prête
1 œuf, battu

2 cuil. à soupe de pesto
6 tomates (olivettes) fraîches, coupées
   en tranches
sel et poivre

feuilles de thym frais, pour le décor
(facultatif)

1 Sur une surface légèrement
farinée, roulez la pâte en un
rectangle de 30 x 25 cm/ 12 x
10 pouces.

2 Coupez le rectangle en deux et
divisez chaque moitié en trois
morceaux pour obtenir 6 rectangles
égaux. Réfrigérez 20 minutes.

3 Cisaillez légèrement les bords des
rectangles de pâte et badigeonnez
d'œuf battu.

4 Tartinez les rectangles de pesto,
en le répartissant entre eux à parts
égales, et en laissant un bord de 2,5 cm/
1 pouce sur chacun.

5 Disposez les tranches de tomates
en long au milieu de chaque
rectangle de manière à recouvrir le
pesto.

6 Assaisonnez généreusement de
sel et de poivre et parsemez les
feuilles de thym frais, au choix.

7 Faites cuire dans un four
préchauffé à 200°C/ 400°F/
Thermostat 6, pendant 15-20 minutes,
jusqu'à ce que les tartelettes aient levé
et soient bien dorées.

8 Dressez les tartelettes à la tomate
sur des assiettes chaudes dès la
sortie du four et servez très chaud.

VARIANTE

*Au lieu de tartelettes
individuelles, roulez
la pâte pour obtenir
un grand rectangle.
Tartinez de pesto et
disposez les tomates dessus.*

Tarte provençale

Cette tarte, particulièrement colorée et savoureuse grâce aux courgettes
et aux poivrons rouges et verts, est un substitut agréable de la quiche lorraine.

Pour 6-8 personnes

INGRÉDIENTS

250 g/ 9 onces de pâte feuilletée
   achetée toute prête
3 cuil. à soupe d'huile d'olive
2 poivrons rouges, épépinés et coupés
   en dés

2 poivrons verts, épépinés et coupés en
   dés
150 ml/ ¹/₄ pinte/ ²/₃ tasse de crème
   épaisse

1 œuf
2 courgettes, coupées en rondelles
sel et poivre

1 Roulez la pâte sur une surface légèrement farinée et garnissez-en un moule à quiche de 20 cm/ 8 pouces à fond amovible. Laissez refroidir 20 minutes au réfrigérateur.

2 Pendant ce temps, faites chauffer 2 cuillerées à soupe d'huile d'olive dans une poêle et faites revenir les poivrons environ 8 minutes, en remuant fréquemment.

3 Fouettez la crème épaisse avec l'œuf dans un saladier et assaisonnez de sel et de poivre. Ajoutez les poivrons cuits en remuant.

4 Faites chauffer l'huile restante dans une poêle et faites revenir les rondelles de courgette pendant 4-5 minutes.

5 Versez le mélange d'œuf et de poivrons sur le fond de tarte.

6 Disposez les rondelles de courgette tout autour de la tarte.

7 Faites cuire dans un four préchauffé à 180°C/ 350°F/ Thermostat 4, pendant 35-40 minutes, ou jusqu'à ce que la tarte soit ferme et dorée.

MON CONSEIL

Cette recette peut être utilisée pour faire six tartelettes individuelles - utilisez dans ce cas des moules de 15 x 10 cm/ 6 x 4 pouces et faites cuire 20 minutes.

Tourtes au céleri et à l'oignon

*Ces petites tourtes salées au céleri et à l'oignon sont tout à fait irrésistibles
et il est donc conseillé de prévoir deux fournées !*

Pour 12 tourtes

INGRÉDIENTS

PÂTE :
125 g/ 4$\frac{1}{2}$ onces/ 1 tasse de farine
$\frac{1}{2}$ cuil. à café de sel
25 g/ 1 once/ 6 cuil. à café de beurre,
   coupé en petits morceaux
25 g/ 1 once de fromage fort, râpé
3-4 cuil. à soupe d'eau

GARNITURE :
50 g/ 1$\frac{3}{4}$ onces/ 10 cuil. à café de
   beurre
125 g/ 4$\frac{1}{2}$ onces de céleri, finement
   haché
2 gousses d'ail, pressées

1 petit oignon, finement haché
1 cuil. à soupe de farine
50 ml/ 2 oz liquides/ $\frac{1}{4}$ tasse de lait
sel
pincée de poivre de Cayenne

1 Pour la garniture, faites fondre le beurre dans une poêle. Ajoutez le céleri, l'ail et l'oignon et faites revenir doucement 5 minutes.

2 Réduisez la chaleur et ajoutez la farine puis le lait. Portez de nouveau à ébullition et laissez cuire à feu doux jusqu'à ce que le mélange épaississe, en remuant fréquemment.

3 Assaisonnez de sel et de poivre de Cayenne. Laissez refroidir.

4 Pour faire la pâte, tamisez la farine et le sel dans un saladier et incorporez le beurre en l'effritant avec les doigts. Ajoutez-y le fromage et l'eau froide et amalgamez le tout pour former une pâte.

5 Roulez $\frac{3}{4}$ de la pâte sur une surface légèrement farinée. À l'aide d'un emporte-pièce de 6 cm/ 2$\frac{1}{2}$ pouces, découpez 12 disques. Garnissez-en les fonds d'une plaque à muffins.

6 Répartissez la garniture entre les fonds de tartes. Roulez la pâte restante et à l'aide d'un emporte-pièce de 5 cm/ 2 pouces, découpez 12 disques. Recouvrez les tourtes de ces disques et scellez parfaitement. Faites une incision dans chaque tourte et réfrigérez 30 minutes.

7 Faites cuire 15-20 minutes dans un four préchauffé à 220°C/ 425°F/ Thermostat 7. Laissez refroidir dans les moules environ 10 minutes avant de démouler. Servez tiède.

Tarte aux asperges et au fromage de chèvre

*Les asperges fraîches sont maintenant disponibles toute l'année
et vous pourrez donc apprécier ce plat savoureux à n'importe quel moment.*

Pour 6 personnes

INGRÉDIENTS

250 g/ 9 onces de pâte brisée achetée toute prête
250 g/ 9 onces d'asperges
1 cuil. à soupe d'huile végétale

1 oignon rouge, finement haché
200 g/ 7 onces de fromage de chèvre
25 g/ 1 once de noisettes, concassées

2 œufs, battus
4 cuil. à soupe de crème liquide
sel et poivre

1 Sur une surface légèrement farinée, roulez la pâte et garnissez-en un moule à quiche de 24 cm/ 9½ pouces à fond amovible. Piquez le fond de pâte avec une fourchette et réfrigérez 30 minutes.

2 Garnissez le fond de pâte de papier d'aluminium et éparpillez des haricots secs pour lester, puis faites cuire dans un four préchauffé à 190°C/ 375°F/ Thermostat 7, environ 15 minutes.

3 Enlevez le papier d'aluminium et le lest et laissez cuire encore 15 minutes.

4 Faites cuire les asperges à l'eau bouillante 2-3 minutes, égouttez et coupez en morceaux.

5 Faites chauffer l'huile dans une petite poêle et faites revenir l'oignon. Versez la préparation à base d'asperge, d'oignon et de noisettes sur le fond de pâte préparé à l'aide d'une cuillère.

6 Battez ensemble le fromage, les œufs et la crème jusqu'à ce que vous obteniez un mélange homogène ou passez au mixeur. Assaisonnez généreusement de sel et de poivre, puis versez cette crème sur les asperges, l'oignon et les noisettes.

7 Faites cuire au four 15-20 minutes ou jusqu'à ce que la garniture au fromage soit juste ferme. Servez tiède ou froid.

VARIANTE

Omettez les noisettes et parsemez le dessus de la tarte de parmesan juste avant de mettre au four, selon votre préférence.

Tarte à l'oignon

Cette tarte croustillante est garnie d'oignons et de fromage
et cuite au four jusqu'à fondre dans la bouche.

Pour 6 personnes

INGRÉDIENTS

250 g/ 9 onces de pâte brisée achetée
    toute prête
40 g/ 1½ onces/ 8 cuil. à café de beurre
75 g/ 2¾ onces de bacon, haché

700 g/ 1 lb 9 onces d'oignons, épluchés
    et finement hachés
2 œufs, battus
50 g/ 1¾ onces de parmesan, râpé

1 cuil. à café de sauge séchée
sel et poivre

1 Roulez la pâte sur un plan de travail légèrement fariné et garnissez-en un moule à quiche de 24 cm/ 9½ pouces à fond amovible.

2 Piquez le fond de la pâte avec une fourchette et réfrigérez 30 minutes.

3 Faites chauffer le beurre dans une casserole, ajoutez-y le bacon et les oignons hachés et faites-les revenir à feu doux pendant 25 minutes. Si l'oignon commence à griller, ajoutez une cuillère à soupe d'eau à la casserole.

4 Ajoutez les œufs battus à la préparation aux oignons et ajoutez en remuant, le fromage, la sauge, le sel et le poivre.

5 Versez la préparation aux oignons avec une cuillère sur le fond de pâte préparé.

6 Faites cuire dans un four préchauffé à 180°C/ 350°F/ Thermostat 4, pendant 20-30 minutes ou jusqu'à ce que la tarte soit juste ferme.

7 Laissez refroidir légèrement dans le moule, puis servez la tarte tiède ou froide.

VARIANTE

Pour une version végétarienne de cette tarte, remplacez le bacon par la même quantité de champignons hachés.

Pissaladière

*Cette recette est une variante de la pizza italienne classique
mais cette fois préparée avec de la pâte feuilletée. Ce plat est idéal pour les repas en plein air.*

Pour 8 personnes

INGRÉDIENTS

4 cuil. à soupe d'huile d'olive
700 g/ 1 lb 9 onces d'oignons rouges,
    finement hachés
2 gousses d'ail, pressées
2 cuil. à café de sucre en poudre

2 cuil. à soupe de vinaigre de vin rouge
350 g/ 12 onces de pâte feuilletée
    achetée toute prête
sel et poivre

GARNITURE :
2 boîtes de 50 g/ 1³/₄ onces de filets
    d'anchois
12 olives vertes dénoyautées
1 cuil. à café de marjolaine séchée

1 Beurrez légèrement une plaque à biscuit roulé rectangulaire. Faites chauffer l'huile d'olive dans une grande casserole. Ajoutez-y les oignons et l'ail et faites cuire à feu doux pendant environ 30 minutes en remuant de temps en temps.

2 Ajoutez le sucre et le vinaigre de vin rouge à la casserole et assaisonnez généreusement de sel et de poivre.

3 Sur une surface légèrement farinée, roulez la pâte en un rectangle d'environ 33 x 23 cm/ 13 x 9 pouces. Déposez ce rectangle de pâte sur la plaque préparée, en poussant bien la pâte dans les coins.

4 Étalez la préparation aux oignons sur la pâte.

5 Disposez les filets d'anchois et les olives vertes dessus, puis saupoudrez de marjolaine.

6 Faites cuire dans un four préchauffé à 220°C/ 425°F/ Thermostat 7, pendant environ 20-25 minutes, jusqu'à ce que la pissaladière soit légèrement dorée. Servez très chaud, dès la sortie du four.

VARIANTE

Découpez la pissaladière en carrés ou en triangles pour servir en canapés lors d'un buffet ou d'un barbecue.

Tartelettes au fromage et à l'oignon

Servez ces délicieuses tartelettes salées en canapés
lors d'un buffet ou d'un cocktail.

Pour 12 personnes

INGRÉDIENTS

PÂTE :
100 g/ 4$^1/_2$ onces/ 1 tasse de farine
$^1/_4$ de cuil. à café de sel
75 g/ 2$^3/_4$ onces/ $^1/_3$ tasse de beurre,
   coupé en petits morceaux
1-2 cuil. à soupe d'eau

GARNITURE :
1 œuf, battu
100 ml/ 3$^1/_2$ oz liquides/ un bon $^1/_3$
   tasse de crème liquide
50 g/ 1$^3/_4$ onces de Red Leicester
   (fromage anglais), râpé

3 ciboules finement hachées
sel
poivre de Cayenne

1 Pour faire la pâte, tamisez la farine et le sel dans un saladier. Incorporez le beurre en l'effritant avec les doigts jusqu'à ce que le mélange ressemble à de la chapelure. Ajoutez l'eau et amalgamez le tout pour obtenir une pâte.

2 Roulez la pâte sur une surface légèrement farinée. À l'aide d'un emporte-pièce de 7,5 cm/ 3 pouces, découpez 12 disques de pâte et garnissez-en les fonds d'une plaque à muffins.

3 Pour la garniture, fouettez l'œuf battu avec la crème liquide, le fromage râpé et les ciboules hachées dans un pichet. Assaisonnez de sel et de poivre de Cayenne.

4 Versez la garniture sur les fonds de tartelettes et faites cuire dans un four préchauffé à 180°C/ 350°F/ Thermostat 4, pendant environ 20-25 minutes ou jusqu'à ce que la garniture soit juste ferme. Servez ces tartelettes tièdes ou froides.

VARIANTE

Garnissez chaque tartelette de tranches de tomates fraîches avant de faire cuire, au choix.

MON CONSEIL

Si vous utilisez 175 g/ 6 onces de pâte brisée achetée toute prête au lieu de la faire vous-même, ces tartelettes sont prêtes en quelques minutes.

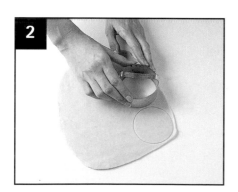

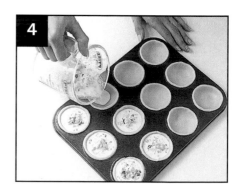

Feuilletés au jambon et au fromage

Ces jolis feuilletés sont aussi délicieux servis chauds ou froids.
Ils sont particulièrement appréciés en pique-nique servis avec une salade.

Pour 6 feuilletés

INGRÉDIENTS

250 g/ 9 onces de pâte feuilletée
  achetée toute prête
50 g/ 1³/₄ onces de jambon, finement
  haché

125 g/ 4¹/₂ onces de fromage frais
  entier
2 cuil. à soupe de ciboulette fraîche
  hachée

1 œuf, battu
2 cuil. à soupe de parmesan
  fraîchement râpé
poivre

1 Roulez la pâte finement sur un plan de travail légèrement fariné. Découpez 12 rectangles mesurant 15 x 5 cm/ 6 x 2 pouces.

2 Déposez ces rectangles sur des plaques à pâtisserie beurrées et laissez refroidir 30 minutes au réfrigérateur.

3 Pendant ce temps, mélangez le jambon, le fromage et la ciboulette dans un petit saladier. Assaisonnez de poivre.

4 Étalez la préparation de jambon et de fromage au milieu de chacun des 6 rectangles en laissant un

bord de 2,5 cm/ 1 pouce tout autour. Badigeonnez le bord d'œuf battu.

5 Pour le treillis, pliez en longueur les rectangles restants. Tout en laissant un bord de 2,5 cm/ 1 pouce, cisaillez des petites lignes verticales le long de la pliure.

6 Dépliez les rectangles et placez-les sur les rectangles déjà garnis de jambon et de fromage. Scellez les bords des feuilletés et saupoudrez légèrement de parmesan.

7 Faites cuire 15-20 minutes dans un four préchauffé à 180°C/ 350°F/ Thermostat 4. Servez chaud ou froid.

MON CONSEIL

Ces feuilletés peuvent être préparés à l'avance, congelés crus, puis passés au four au moment voulu.

La cuisine végétarienne

La cuisine végétarienne est loin d'être une cuisine de nécessité réservée à ceux qui ne mangent pas de viande, au contraire, c'est une cuisine savoureuse et nutritive en elle-même. La variété de recettes présentées dans ce chapitre permettra aux végétariens et végétaliens non seulement de prendre plaisir à préparer ces recettes, mais également d'expérimenter avec les différentes garnitures pour répondre à leurs besoins individuels. Certaines recettes sont des variantes de recettes classiques familiales, telles que le gâteau renversé à l'ananas, le crumble aux fruits et la tarte aux dattes et aux abricots.

La plupart des supermarchés et des magasins diététiques stockent toute une gamme de produits convenant aux végétariens et il est bon d'en essayer plusieurs jusqu'à ce que vous trouviez le produit qui vous convient. Parmi eux, le lait de soja est vendu soit concentré, auquel cas il faut le diluer, soit tout prêt, ou en poudre ; quant aux matières grasses, on trouve plusieurs marques de margarines végétaliennes ainsi que de nombreuses matières grasses blanches végétales idéales pour les tartes et la friture.

Le tofu (issu de graines de soja) est un produit blanchâtre, ressemblant à du lait caillé, souple d'emploi, à haute teneur en protéines et exempt de cholestérol, qui peut être utilisé dans les recettes tant sucrées que salées.

Les gâteaux et les garnitures sans œufs qui figurent dans ce chapitre sont réalisés en ajoutant à la préparation du liquide supplémentaire (de l'huile en général) et en augmentant la quantité de levure.

Pasties au curry

Ces pasties, convenant aux végétaliens, sont garnies d'un délicieux mélange de légumes et d'épices. Ils peuvent être mangés chauds ou froids.

Pour 4 personnes

INGRÉDIENTS

225 g/ 8 onces/ 1³/₄ tasses de farine
   complète
100 g/ 3¹/₂ onces/ ¹/₃ tasse de
   margarine végétalienne, coupée en
   petits morceaux
4 cuil. à soupe d'eau
2 cuil. à soupe d'huile

225 g/ 8 onces de racines comestibles
   (pommes de terre, carottes et
   panais), coupés en dés
1 petit oignon, haché
2 gousses d'ail, finement hachées
¹/₂ cuil. à café de curry en poudre
¹/₂ cuil. à café de curcuma en poudre

¹/₂ cuil. à café de cumin en poudre
¹/₂ cuil. à café de moutarde gros grains
5 cuil. à café de bouillon
lait de soja, pour dorer

1 Placez la farine dans un saladier et incorporez la margarine végétalienne en l'effritant avec le bout des doigts jusqu'à ce que le mélange ressemble à de la chapelure. Versez l'eau et amalgamez le tout pour former une pâte souple. Enveloppez la pâte et laissez refroidir 30 minutes au réfrigérateur.

2 Pour la garniture, faites chauffer l'huile dans une grande casserole. Ajoutez les légumes coupés en dés, l'oignon haché et l'ail. Faites revenir deux minutes, puis ajoutez toutes les épices en remuant et en retournant les légumes pour les recouvrir d'épices. Laissez frire les légumes encore 1 minute.

3 Ajoutez le bouillon à la casserole et portez à ébullition. Couvrez et laissez cuire 20 minutes à feu doux, en remuant de temps en temps, jusqu'à ce que les légumes soient tendres et que le liquide ait été absorbé. Laissez refroidir.

4 Divisez la pâte en quatre portions. Roulez chaque portion en un disque de 15 cm/ 6 pouces. Garnissez de préparation une moitié de chaque disque.

5 Badigeonnez les bords de chaque disque de lait de soja, puis repliez et appuyez sur les bords pour bien sceller. Déposez sur une plaque à pâtisserie. Faites cuire dans un four préchauffé à 200°C/ 400°F/ Thermostat 6, pendant 25-30 minutes, jusqu'à ce que la pâte soit bien dorée.

MON CONSEIL

La garniture aux légumes peut être préparée à l'avance et conservée au réfrigérateur jusqu'au moment voulu.

Tourte aux noix du Brésil et aux champignons

Les petits champignons de Paris donnent à cette tourte végétalienne un arôme savoureux.
La tourte peut être congelée crue et passée au four sans la faire dégeler.

Pour 4-6 personnes

INGRÉDIENTS

PÂTE :
225 g/ 8 onces/ 1³/₄ tasses de farine
  complète
100 g/ 3¹/₂ onces/ ¹/₃ tasse de
  margarine végétalienne, coupée en
  petits morceaux
4 cuil. à soupe d'eau
lait de soja, pour dorer

GARNITURE :
25 g/ 1 once/ 6 cuil. à café de
  margarine végétalienne
1 oignon, haché
1 gousse d'ail, finement hachée
125 g/ 4¹/₂ onces de petits
  champignons de Paris, émincés
1 cuil. à soupe de farine

150 ml/ ¹/₄ pinte/ ²/₃ tasse de bouillon
  de légumes
1 cuil. à soupe de concentré de tomate
175 g/ 6 onces de noix du Brésil,
  concassées
75 g/ 2³/₄ onces de chapelure fraîche
  (pain complet)
2 cuil. à soupe de persil frais haché
¹/₂ cuil. à café de poivre

1 Pour faire la pâte, mettez la farine dans un saladier et incorporez la margarine végétalienne en l'effritant du bout des doigts jusqu'à ce que le mélange ressemble à de la semoule. Versez l'eau et amalgamez le tout pour former une pâte. Enveloppez la pâte et réfrigérez 30 minutes.

2 Pour la garniture, faites fondre la moitié de la margarine dans une poêle. Ajoutez l'oignon, l'ail et les champignons et faites revenir 5 minutes. Ajoutez la farine et faites cuire 1 minute, en remuant fréquemment. Ajoutez progressivement le bouillon, en remuant jusqu'à ce que la sauce soit homogène et commence à épaissir. Ajoutez le concentré de tomate, les noix du Brésil, la chapelure, le persil et le poivre. Laissez refroidir légèrement.

3 Sur une surface légèrement farinée, roulez ²/₃ de la pâte et garnissez-en le fond d'un moule à quiche de 20 cm/ 8 pouces à fond amovible ou un moule à tourte. Étalez la garniture sur le fond de pâte. Badigeonnez les bords de la pâte de lait de soja. Roulez la pâte restante et recouvrez la tourte. Scellez les bords, incisez le dessus de la pâte et badigeonnez de lait de soja.

4 Faites cuire dans un four préchauffé à 200°C/ 400°F/ Thermostat 6, pendant 30-40 minutes, jusqu'à ce que la pâte soit bien dorée.

Quiche aux lentilles et aux poivrons rouges

*Cette quiche savoureuse conjugue lentilles et poivrons rouges sur un délicieux fond
de tarte à la farine complète. Cette quiche convient aux végétaliens.*

Pour 6-8 personnes

INGRÉDIENTS

PÂTE :

225 g/ 8 onces/ 1³/₄ tasses de farine
complète

100 g/ 3¹/₂ onces/ ¹/₃ tasse de
margarine végétalienne, coupée en
petits morceaux

4 cuil. à soupe d'eau

GARNITURE :

175 g/ 6 onces de lentilles rouges,
rincées

300 ml/ ¹/₂ pinte/ ¹/₄ tasse de bouillon
de légumes

15 g/ ¹/₂ once/ 3 cuil. à café de
margarine végétalienne

1 oignon, haché

2 poivrons rouges, cœur enlevé,
épépinés et coupés en dés

1 cuil. à café d'extrait de levure

1 cuil. à soupe de concentré de tomate

3 cuil. à soupe de persil frais haché

poivre

1 Pour faire la pâte, mettez la farine dans un saladier et incorporez la margarine végétalienne en l'effritant du bout des doigts jusqu'à ce que le mélange ressemble à de la semoule. Versez l'eau et amalgamez le tout pour former une pâte. Enveloppez la pâte et réfrigérez 30 minutes.

2 Pendant ce temps, préparez la garniture. Mettez les lentilles dans une casserole avec le bouillon, portez à ébullition, puis laissez cuire 10 minutes à feu doux, jusqu'à ce que les lentilles soient tendres et puissent être écrasées en purée.

3 Faites fondre la margarine dans une petite casserole, ajoutez l'oignon haché et les poivrons rouges en dés et faites-les revenir.

4 Ajoutez la purée de lentilles, l'extrait de levure, le concentré de tomate et le persil. Assaisonnez de poivre. Amalgamez bien le tout.

5 Sur une surface légèrement farinée, roulez la pâte et garnissez-en un moule à quiche de 24 cm/ 9½ pouces à fond amovible. Piquez le fond de la pâte avec une fourchette et versez la préparation aux lentilles dessus à l'aide d'une cuillère.

6 Faites cuire dans un four préchauffé à 200°C/ 400°F/ Thermostat 6, pendant 30 minutes, jusqu'à ce que la garniture soit ferme.

VARIANTE

Ajoutez des grains de maïs à la quiche à l'étape n° 4 pour une garniture colorée et savoureuse, selon votre préférence.

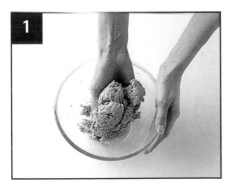

Pain à l'ail et à la sauge

*Ce pain préparé le jour même accompagne parfaitement
les salades et convient aux végétaliens*

Pour 4-6 personnes

INGRÉDIENTS

250 g/ 9 onces/ 2¼ tasses de farine
complète brute
1 sachet de levure séchée instantanée

3 cuil. à soupe de sauge fraîche hachée
2 cuil. à café de sel marin
3 gousses d'ail, finement hachées

1 cuil. à café de miel
150 ml/ ¼ pinte/ ⅔ tasse d'eau tiède

1 Beurrez une plaque à pâtisserie. Tamisez la farine dans un grand saladier et ajoutez-y les enveloppes de grains restées dans le tamis.

2 Ajoutez la levure séchée, la sauge et la moitié du sel marin. Réservez une cuillerée à café d'ail haché pour la parsemer dessus et ajoutez le reste dans le saladier en remuant. Ajoutez le miel et l'eau tiède et amalgamez le tout pour former une pâte.

3 Retournez la pâte sur une surface légèrement farinée et pétrissez-la environ 5 minutes (ou utilisez un mixeur électrique muni d'un crochet de pétrissage).

4 Placez la pâte dans un saladier beurré, couvrez et laissez lever dans un endroit chaud jusqu'à ce qu'elle ait doublé de volume.

5 Pétrissez à nouveau la pâte quelques minutes, façonnez-la en forme de couronne (voir Mon Conseil) et déposez-la sur la plaque à pâtisserie.

6 Couvrez et laissez lever encore 30 minutes, ou jusqu'à ce que la pâte soit élastique au toucher. Parsemez le reste de sel marin et l'ail.

7 Faites cuire 25-30 minutes dans un four préchauffé à 200°C/ 400°F/ Thermostat 6. Laissez refroidir sur une grille avant de servir.

MON CONSEIL

Roulez la pâte en forme de long boudin puis scellez les deux bouts pour lui donner une forme de couronne.

VARIANTE

Ne parsemez pas le dessus du pain de sel marin, si vous préférez.

Tranches aux abricots

Ces gâteaux végétaliens sont idéals pour le casse-croûte des enfants.
Ils sont particulièrement savoureux et sont réalisés à partir d'ingrédients diététiques.

Pour 12 tranches

INGRÉDIENTS

PÂTE :
225 g/ 8 onces/ 1³/₄ tasses de farine
    complète
50 g/ 1³/₄ onces de noix et noisettes
    mélangées, finement concassées
100 g/ 3¹/₂ onces/ ¹/₃ tasse de
    margarine végétalienne, coupée en
    petits morceaux

4 cuil. à soupe d'eau
lait de soja, pour dorer

GARNITURE :
225 g/ 8 onces d'abricots secs
zeste râpé d'une orange
300 ml/ ¹/₂ pinte/ 1¹/₃ tasses de jus de
    pomme

1 cuil. à café de cannelle en poudre
50 g/ 1³/₄ onces/ ¹/₃ tasse de raisins
    secs

1 Beurrez légèrement un moule à gâteau carré de 23 cm/ 9 pouces. Pour faire la pâte, mettez la farine et les noix et noisettes mélangées dans un saladier et incorporez la margarine en l'effritant avec les doigts jusqu'à ce que le mélange ressemble à de la chapelure. Versez l'eau et amalgamez le tout pour former une pâte. Enveloppez et réfrigérez 30 minutes.

2 Pour la garniture, placez les abricots, le zeste d'orange et le jus de pomme dans une casserole et portez à ébullition. Laissez cuire 30 minutes à feu doux, jusqu'à ce que les abricots soient en marmelade. Laissez refroidir légèrement, puis mixez en purée. Ajoutez la cannelle et les raisins secs en remuant.

3 Divisez la pâte en deux, roulez-en une moitié et garnissez-en le fond du moule. Étalez la purée d'abricots sur le dessus et badigeonnez les bords de la pâte d'eau. Roulez le reste de la pâte et posez sur la purée d'abricots pour la recouvrir. Appuyez et scellez les bords.

4 Piquez le dessus de la pâte avec une fourchette et badigeonnez de lait de soja. Faites cuire dans un four préchauffé à 200°C/ 400°F/ Thermostat 6, pendant 20-25 minutes, jusqu'à ce que la pâte soit dorée. Laissez refroidir légèrement avant de découper en 12 barres. Servez tiède.

MON CONSEIL

Ces tranches se conserveront 3-4 jours dans une boîte hermétique.

Cheesecake cuit au tofu

Ce cheesecake possède une texture riche et crémeuse mais ne contient aucun produit laitier. Vérifiez bien la liste des ingrédients des sablés pour vous assurer de bien acheter une marque convenant aux végétaliens.

Pour 6 personnes

INGRÉDIENTS

125 g/ 4¹/₂ onces de biscuits sablés, écrasés

50 g/ 1³/₄ once/ 10 cuil. à café de margarine végétalienne, fondue

50 g/ 1³/₄ onces de dattes dénoyautées, hachées

4 cuil. à soupe de jus de citron zeste d'un citron

3 cuil. à soupe d'eau

350 g/ 12 onces ou 2 sachets de 285 g de tofu ferme

150 ml/ ¹/₄ pinte/ ²/₃ tasse de jus de pomme

1 banane, écrasée

1 cuil. à café d'extrait de vanille

1 mangue, épluchée et hachée

1 Beurrez légèrement un moule rond de 18 cm/ 7 pouces à fond amovible.

2 Mélangez ensemble les miettes de sablés et la margarine fondue dans un saladier. Garnissez le fond du moule préparé de mélange et tassez.

3 Mettez les dattes hachées, le jus de citron, le zeste de citron et l'eau dans une casserole et portez à ébullition. Faites cuire 5 minutes à feu doux, jusqu'à ce que les dattes soient ramollies, puis écrasez-les grossièrement à la fourchette.

4 Mettez cette préparation dans un mixeur et ajoutez-y le tofu, le jus de pomme, la banane écrasée et l'extrait de vanille, puis mixez le tout jusqu'à ce que vous obteniez une purée homogène et épaisse.

5 Versez la purée de tofu sur le fond de sablés préparé.

6 Faites cuire dans un four préchauffé à 180°C/ 350°F/ Thermostat 4, pendant 30-40 minutes, jusqu'à ce que le gâteau soit légèrement doré. Laissez refroidir dans le moule, puis laissez refroidir complètement au réfrigérateur avant de servir.

7 Mettez la mangue hachée dans un mixeur et mixez jusqu'à ce que vous obteniez un mélange homogène. Servez en coulis avec le cheesecake froid.

VARIANTE

Vous pouvez remplacer le tofu ferme par un tofu plus mou pour obtenir une texture plus moelleuse ; il faut compter 40-50 minutes pour qu'il se prenne.

Gâteau renversé à l'ananas

Ce gâteau renversé montre comment une recette classique peut être adaptée pour les végétaliens en remplaçant le beurre et les œufs par de la margarine végétalienne et de l'huile.

Pour 6 personnes

INGRÉDIENTS

1 boîte de 432 g/ 15 onces d'ananas non sucré en morceaux, égoutté et jus réservé

4 cuil. à café de Maïzena

50 g/ 1³/4 onces/ 3 cuil. à soupe de sucre roux

50 g/ 1³/4 onces/ 10 cuil. à café de margarine végétalienne, coupée en petits morceaux

125 ml/ 4 oz liquides/ ¹/2 tasse d'eau
zeste d'un citron

PÂTE :

50 ml/ 2 oz liquides/ ¹/4 tasse d'huile de tournesol

75 g/ 2³/4 onces/ ¹/3 tasse de sucre roux

150 ml/ ¹/4 once/ ²/3 tasse d'eau

150 g/ 5¹/2 onces/ 1¹/4 tasses de farine

2 cuil. à café de levure chimique

1 cuil. à café de cannelle en poudre

1 Beurrez un moule profond de 18 cm/ 7 pouces. Délayez la Maïzena avec le jus d'ananas réservé. Versez la Maïzena délayée dans une casserole avec le sucre, la margarine et l'eau et remuez sur feu doux jusqu'à ce que le sucre soit dissous. Portez à ébullition et laissez cuire 2-3 minutes à feu doux, jusqu'à ce que le mélange épaississe. Laissez refroidir légèrement.

2 Pour faire le gâteau, mettez l'huile, le sucre et l'eau dans une casserole. Chauffez doucement jusqu'à ce que le sucre soit dissous ; ne le laissez pas bouillir. Retirez du feu et laissez refroidir. Tamisez la farine, la levure chimique et la cannelle en poudre dans un saladier. Versez dessus le sirop de sucre refroidi et battez bien jusqu'à ce que vous obteniez une pâte à crêpe.

3 Mettez les morceaux d'ananas et le zeste de citron dans le fond du moule et versez dessus 4 cuil. à soupe de sirop d'ananas. À l'aide d'une cuillère, versez la pâte à gâteau dessus.

4 Faites cuire dans un four préchauffé à 180°C/ 350°F/ Thermostat 4, pendant 35-40 minutes, jusqu'à ce que le gâteau soit ferme et qu'une aiguille en acier insérée en son centre en ressorte propre. Retournez le moule sur une assiette, laissez reposer 5 minutes, puis démoulez. Servez avec le sirop restant.

VARIANTE

Ajoutez 25 g/ 1 once de raisins secs aux morceaux d'ananas, selon votre préférence.

Tarte aux dattes et aux abricots

*Vous n'aurez pas besoin d'ajouter de sucre supplémentaire à cette tarte
car les fruits secs sont naturellement sucrés. Cette tarte convient aux végétaliens.*

Pour 6-8 personnes

INGRÉDIENTS

225 g/ 8 onces/ 1³⁄₄ tasses de farine
complète
50 g/ 1³⁄₄ onces de noix et noisettes
mélangées, en poudre
100 g/ 3¹⁄₂ onces/ ¹⁄₃ tasse de
margarine végétalienne, coupée en
petits morceaux

4 cuil. à soupe d'eau
225 g/ 8 onces d'abricots secs, hachés
225 g/ 8 onces de dattes dénoyautées,
hachées
425 ml/ ³⁄₄ de pinte/ 2 tasses de jus de
pomme
1 cuil. à café de cannelle en poudre

zeste râpé d'un citron
crème anglaise au lait de soja, pour
servir (facultatif)

1 Mettez la farine, les noix et noisettes en poudre dans un saladier et incorporez la margarine en l'effritant du bout des doigts, jusqu'à ce que le mélange ressemble à de la chapelure. Versez l'eau et amalgamez le tout pour former une pâte. Enveloppez la pâte et réfrigérez 30 minutes.

2 Pendant ce temps, mettez les abricots et les dattes dans une casserole avec le jus de pomme, la cannelle et le zeste de citron. Portez à ébullition, couvrez et laissez cuire 15 minutes à feu doux, jusqu'à ce que les fruits ramollissent et puissent être écrasés en purée.

3 Réservez une petite boule de pâte pour les bandes de finition. Sur une surface légèrement farinée, roulez le reste de la pâte en une abaisse ronde et garnissez-en un moule à quiche de 23 cm/ 9 pouces à fond amovible.

4 Étalez la garniture de fruits sur le fond de pâte. Roulez la pâte réservée et découpez en bandes de 1 cm/ ¹⁄₂ pouce de largeur. Coupez les bandes de la taille de la tarte et placez-les en torsade sur la garniture pour former un treillis. Humidifiez les extrémités des bandes avec de l'eau et scellez-les au pourtour de la tarte.

5 Faites cuire dans un four préchauffé à 200°C/ 400°F/ Thermostat 6, pendant 25-30 minutes, jusqu'à ce que la tarte soit bien dorée. Coupez en tranches et servez avec de la crème anglaise au lait de soja, au choix.

Crumble aux fruits

Tous les fruits de saison peuvent être utilisés dans ce pudding délicieux.
Cette recette convient aux végétaliens car elle ne contient aucun produit laitier.

Pour 6 personnes

INGRÉDIENTS

6 poires à dessert, épluchées, cœur enlevé, coupées en quatre puis en morceaux
1 cuil. à soupe de gingembre confit, haché
1 cuil. à soupe de mélasse
2 cuil. à soupe de jus d'orange

GARNITURE :
175 g/ 6 onces/ 1½ tasses de farine
75 g/ 2¾ onces/ ⅓ tasse de margarine végétalienne, coupée en petits morceaux
25 g/ 1 once d'amandes, effilées
25 g/ 1 once/ ⅓ tasse de flocons d'avoine

50 g/ 1¾ onces de mélasse
crème anglaise au lait de soja, pour servir

1 Beurrez légèrement un plat de 1 litre/ 2 pintes/ 4½ tasses allant au four.

2 Dans un saladier, mélangez ensemble, les poires, le gingembre, la mélasse et le jus d'orange. Versez la préparation à l'aide d'une cuillère dans le plat préparé.

3 Pour la garniture du crumble, tamisez la farine dans un saladier et incorporez la margarine en l'effritant avec les doigts jusqu'à ce que le mélange ressemble à de la chapelure. Ajoutez les amandes effilées, les flocons d'avoine et la mélasse. Mélangez bien le tout.

4 Parsemez uniformément la garniture du crumble sur la préparation aux poires et au gingembre dans le plat.

5 Faites cuire dans un four préchauffé à 190°C/ 375°F/ Thermostat 5, pendant 30 minutes, jusqu'à ce que la garniture soit dorée et que les fruits soient tendres. Servez avec de la crème anglaise au lait de soja, au choix.

VARIANTE

Ajoutez une cuillerée à café d'épices mélangées en poudre (allspice) dans la préparation du crumble à l'étape n° 3 pour plus de parfum, selon votre préférence.

Gâteau de Savoie sans œuf

*Cette recette est une variante diététique
du gâteau victorien classique et convient aux végétaliens.*

Pour 1 gâteau de 20 cm /8 pouces

INGRÉDIENTS

225 g/ 8 onces/ 1³/₄ tasses de farine complète avec poudre levante

2 cuil. à café de levure chimique

175 g/ 6 onces/ ³/₄ tasse de sucre en poudre

6 cuil. à soupe d'huile de tournesol

250 ml/ 9 oz liquides/ 1 tasse d'eau

1 cuil. à café d'extrait de vanille

4 cuil. à soupe de confiture de fraises ou de framboises allégée en sucre

sucre en poudre, pour saupoudrer

1 Beurrez deux moules à gâteau de 20 cm/ 8 pouces et garnissez-les de papier sulfurisé.

2 Tamisez la farine et la levure chimique dans un grand saladier, en ajoutant le son resté dans le tamis. Ajoutez le sucre en poudre.

3 Versez l'huile de tournesol, l'eau et l'extrait de vanille et mélangez bien le tout avec une cuillère en bois pendant environ 1 minute jusqu'à ce que vous obteniez un mélange crémeux et homogène.

4 Répartissez cette préparation entre les moules préparés.

5 Faites cuire dans un four préchauffé à 180°C/ 350°F/ Thermostat 4, pendant environ 25-30 minutes, jusqu'à ce que le milieu des gâteaux rebondisse lorsque vous appuyez légèrement dessus avec le doigt. Laissez refroidir avant de démouler et de transférer sur une grille.

6 Pour servir, enlevez le papier sulfurisé et dressez l'un des gâteaux sur un plat de service. Tartinez de confiture et placez l'autre gâteau par-dessus. Saupoudrez d'un peu de sucre en poudre.

VARIANTE

Utilisez du beurre ou de la margarine végétalien(ne) fondu(e) au lieu de l'huile de tournesol si vous préférez, mais laissez-le(la) refroidir avant de l'ajouter aux ingrédients secs à l'étape n° 3.

Les gâteaux

Rien de plus traditionnel qu'un goûter composé d'une tasse de thé accompagnée d'une pâtisserie. Vous retrouvez dans ce chapitre les recettes savoureuses les plus classiques auxquelles on a pris un coquin plaisir à ajouter une touche d'extravagance – pleines de chocolat, d'épices et autres saveurs gourmandes, ces recettes feront votre délice.

Ce chapitre contient toute une variété de gâteaux selon le temps et l'énergie que vous pourrez leur consacrer. Les petits gâteaux incluent le pain d'épices, le gâteau à la carotte, et les pavés au chocolat blanc et aux abricots. Ces pâtisseries sont plus faciles à réaliser et à cuisiner que les plus gros gâteaux, et sont souvent particulièrement appréciées au moment d'une pause-café ou à l'heure du casse-croûte des enfants.

Les gâteaux comme le gâteau aux amandes et le gâteau au sirop et au citron sont réalisés rapidement grâce à la levure chimique qui garantit à chaque fois une levée rapide et régulière.

D'autres recettes font appel à des ingrédients spéciaux en vue de créer des gâteaux originaux "avec un petit je ne sais quoi en plus", comme par exemple le gâteau aux fruits, aux noix, et à l'huile d'olive, le gâteau aux fruits confits, et le gâteau Streusel au café et aux amandes. Ce chapitre comprend également une sélection de scones et de muffins.

Gâteau à l'huile d'olive, aux fruits et aux noix

Pour ce gâteau, il est fortement recommandé d'utiliser une huile d'olive de bonne qualité car c'est elle qui lui donnera toute sa saveur. Le gâteau se conserve bien dans un récipient hermétique jusqu'au moment de servir.

Pour 8 personnes

INGRÉDIENTS

225 g/ 8 onces / 2 tasses de farine avec poudre levante

50 g / 1³/₄ onces / 9 cuil. à café de sucre en poudre

125 ml / 4 oz liquides / ¹/₂ tasse de lait

4 cuil. à soupe de jus d'orange

150 ml / ¹/₄ pinte / ²/₃ tasse d'huile d'olive

100 g/ 3¹/₂ onces de fruits secs mélangés

25 g/ 1 once de pignons

1 Beurrez un moule à gâteau de 18 cm/ 7 pouces et garnissez-le de papier sulfurisé.

2 Tamisez la farine dans un saladier et ajoutez-y le sucre en poudre.

3 Creusez un trou au milieu des ingrédients secs et versez-y le lait et le jus d'orange. Mélangez la préparation à l'aide d'une cuillère en bois, tout en battant la farine et le sucre pour les incorporer.

4 Ajoutez l'huile d'olive et amalgamez bien le tout pour obtenir un mélange homogène.

5 Incorporez dans ce mélange les fruits secs mélangés et les pignons, puis versez la préparation dans le moule à l'aide d'une cuillère.

6 Faites cuire dans un four préchauffé à 180°C/ 350°F/ Thermostat 4, environ 45 minutes, jusqu'à ce que le gâteau soit doré et ferme au toucher.

7 Laissez le gâteau refroidir dans le moule quelques minutes avant de le transférer sur une grille pour refroidir.

8 Servez le gâteau tiède ou froid et coupé en tranches.

MON CONSEIL

Les pignons sont bien connus pour le parfum qu'ils donnent au pesto italien classique, mais ils sont utilisés ici pour apporter un parfum subtil, légèrement résineux, à ce gâteau.

Gâteau au chocolat et aux poires

*Quoi de plus savoureux pour ce gâteau qu'un mélange délicat de chocolat
et de poires fraîches pour créer un moelleux inégalé.*

Pour 6 personnes

INGRÉDIENTS

175 g/ 6 onces/ ³/₄ tasse de beurre,
  ramolli
175 g/ 6 onces/ 1 tasse de sucre roux
3 œufs, battus

150 g/ 5¹/₂ onces/ 1¹/₄ tasses de farine
  avec poudre levante
15 g/ ¹/₂ once/ 2 cuil. à soupe de cacao
  en poudre

2 cuil. à soupe de lait
2 petites poires, épluchées, cœur
  enlevé, coupées en tranches

1 Beurrez un moule de 23 cm/ 9 pouces à fond amovible et garnissez le fond de papier sulfurisé.

2 Dans un saladier, malaxez le beurre et le sucre roux jusqu'à ce que vous obteniez une crème pâle et bien aérée.

3 Ajoutez progressivement les œufs battus à cette crème en battant bien après chaque addition.

4 Tamisez la farine avec poudre levante et le cacao en poudre dans le mélange crémeux et incorporez délicatement pour obtenir une pâte bien homogène.

5 Ajoutez le lait, puis versez la préparation dans le moule à l'aide d'une cuillère. Lissez la surface avec le dos d'une cuillère ou d'un couteau.

6 Disposez les morceaux de poires sur le dessus du gâteau en forme de soleil.

7 Faites cuire dans un four préchauffé à 180°C/ 350°F/ Thermostat 4, environ 1 heure, jusqu'à ce que le gâteau soit juste ferme au toucher.

8 Laissez le gâteau refroidir dans le moule, puis transférez-le sur une grille pour qu'il refroidisse complètement avant de servir.

MON CONSEIL

Pour un dessert somptueux, servez le gâteau nappé d'un filet de chocolat fondu.

Gâteau de Savoie au cumin

*Cette recette classique du gâteau de Savoie est réalisée à la manière traditionnelle,
avec des graines de cumin. Si vous n'aimez pas leur goût, n'en mettez pas.*

Pour 8 personnes

INGRÉDIENTS

225 g/ 8 onces/ 1 tasse de beurre,
   ramolli
175 g/ 6 onces/ 1 tasse de sucre roux
3 œufs, battus

350 g/ 12 onces/ 3 tasses de farine
   avec poudre levante
1 cuil. à soupe de graines de cumin

zeste râpé d'un citron
6 cuil. à soupe de lait
1 ou 2 lanières de zeste confit de
   cédrat

1 Beurrez et garnissez un moule à cake de 900 g/ 2 lb.

2 Dans un saladier, malaxez le beurre avec le sucre roux jusqu'à ce que vous obteniez une crème pâle et bien aérée.

3 Ajoutez progressivement les œufs battus en battant parfaitement après chaque addition.

4 Tamisez la farine dans le saladier et incorporez-la délicatement dans la préparation crémeuse.

5 Ajoutez les graines de cumin, le zeste de citron et le lait et travaillez le tout pour obtenir un mélange bien homogène.

6 Versez cette pâte dans le moule préparé à l'aide d'une cuillère et lissez-en la surface.

7 Faites cuire 20 minutes dans un four préchauffé à 160°C/ 325°F/ Thermostat 3.

8 Sortez le gâteau du four, disposez les morceaux de zeste de cédrat sur le dessus du gâteau et remettez-le au four encore 40 minutes, ou jusqu'à ce que le gâteau soit bien levé et qu'une aiguille en acier insérée en son centre en ressorte propre.

9 Laissez le gâteau refroidir dans le moule avant de le démouler et de le transférer sur une grille pour qu'il refroidisse complètement.

MON CONSEIL

Le zeste de cédrat confit est disponible au rayon pâtisserie des supermarchés. Si vous n'en trouvez pas, vous pouvez le remplacer par des morceaux d'écorces confites mélangées.

Gâteau à la clémentine

Ce gâteau doit son parfum au zeste et au jus de clémentines, ce qui permet de réaliser un dessert somptueux au beurre accompagné d'un arôme de fruits frais.

Pour 8 personnes

INGRÉDIENTS

2 clémentines
175 g/ 6 onces/ ³/₄ tasse de beurre, ramolli
175 g/ 6 onces/ ³/₄ tasse de sucre en poudre

3 œufs, battus
175 g/ 6 onces/ 1¹/₂ tasses de farine avec poudre levante
3 cuil. à soupe de poudre d'amandes
3 cuil. à soupe de crème liquide

GLAÇAGE ET GARNITURE :
6 cuil. à soupe de jus de clémentines
2 cuil. à soupe de sucre en poudre
3 morceaux de sucre blanc, concassés

1 Beurrez un moule rond de 18 cm/ 7 pouces et garnissez le fond de papier sulfurisé.

2 Épluchez les clémentines puis hachez finement le zeste. Dans un saladier, malaxez le beurre avec le sucre et le zeste de clémentines jusqu'à ce que vous obteniez une crème pâle et aérée.

3 Ajoutez progressivement les œufs battus, en battant bien après chaque addition.

4 Incorporez délicatement la farine avec poudre levante, puis la poudre d'amandes et la crème liquide. À l'aide d'une cuillère, versez le tout dans le moule préparé.

5 Faites cuire dans un four préchauffé à 180°C/ 350°F/ Thermostat 4, environ 55-60 minutes, ou jusqu'à ce qu'une aiguille en acier insérée en son centre en ressorte propre. Laissez refroidir légèrement.

6 Pendant ce temps, préparez le glaçage. Versez le jus de clémentines dans une petite casserole avec le sucre en poudre. Portez à ébullition et laissez cuire 5 minutes à feu doux.

7 Nappez le gâteau de glaçage jusqu'à ce qu'il ait été absorbé, puis saupoudrez le sucre concassé.

MON CONSEIL

Si vous préférez, hachez le zeste des clémentines dans un mixeur avec le sucre à l'étape n° 2. Versez ce mélange dans un saladier avec le beurre puis travaillez pour obtenir une crème onctueuse.

Gâteau aux fruits confits

Ce gâteau est extrêmement coloré, vous pourrez le réaliser
avec différents fruits confits ou un seul type, si vous préférez.

Pour 8 personnes

INGRÉDIENTS

175 g/ 6 onces/ ³/₄ tasse de beurre,
ramolli
175 g/ 6 onces/ ³/₄ tasse de sucre en
poudre
3 œufs, battus

175 g/ 6 onces/ de farine avec poudre
levante, tamisée
25 g/ 1 once de semoule de riz
zeste finement haché d'un citron

4 cuil. à soupe de jus de citron
125 g/ 4¹/₂ onces/ ²/₃ tasse de fruits
confits, hachés
sucre glace, pour saupoudrer
(facultatif)

1 Beurrez légèrement un moule
à gâteau de 18 cm/ 7 pouces et
garnissez-le de papier sulfurisé.

2 Dans un saladier, battez le beurre
avec le sucre en poudre jusqu'à ce
que vous obteniez une crème pâle et aérée.

3 Ajoutez progressivement les œufs
battus. À l'aide d'une cuillère en métal,
incorporez la farine et la semoule de riz.

4 Ajoutez le zeste de citron râpé et
le jus de citron, puis les morceaux
de fruits confits. Mélangez délicatement
tous ces ingrédients.

5 À l'aide d'une cuillère, versez ce
mélange dans le moule préparé
et lissez la surface avec le dos d'une
cuillère ou d'un couteau.

6 Faites cuire dans un four
préchauffé à 180°C/ 350°F/
Thermostat 4, 1 h - 1 h 10, jusqu'à ce
que le gâteau soit bien levé ou qu'une
aiguille en acier insérée en son centre
en ressorte propre.

7 Laissez le gâteau refroidir dans le
moule 5 minutes, puis démoulez
sur une grille pour le laisser refroidir
complètement.

8 Saupoudrez de sucre glace au
choix, avant de servir.

MON CONSEIL

Lavez et séchez les fruits
confits avant de les hacher.
Ceci évitera que les fruits ne
tombent au fond du gâteau
en cours de cuisson.

Pavés au chocolat blanc et aux abricots

Le chocolat blanc donne à ce gâteau un goût particulièrement riche, et il est préférable de le couper en petites barres ou pavés ou encore en tranches fines.

Pour 12 barres

INGRÉDIENTS

125 g/ 4$^{1}/_{2}$ onces/ $^{1}/_{2}$ tasse de beurre
175 g/ 6 onces de chocolat blanc, en morceaux
4 œufs

125 g/ 4$^{1}/_{2}$ onces/ $^{1}/_{2}$ tasse de sucre en poudre
200 g/ 7 onces/ 1$^{3}/_{4}$ tasses de farine, tamisée

1 cuil. à café de levure chimique
pincée de sel
100 g/ 3$^{1}/_{2}$ onces d'abricots secs prêts à l'emploi, hachés

1 Beurrez légèrement un moule à gâteau carré de 20 cm/ 8 pouces et garnissez le fond d'une feuille de papier sulfurisé.

2 Faites fondre le beurre et le chocolat dans un récipient résistant à la chaleur placé au-dessus d'une casserole d'eau frémissante. Remuez fréquemment avec une cuillère en bois jusqu'à ce que vous obteniez un mélange lisse et brillant. Laissez cette crème refroidir légèrement.

3 Battez les œufs avec le sucre en poudre dans le mélange de beurre et de chocolat jusqu'à ce que vous obteniez un mélange bien homogène.

4 Incorporez la farine, la levure chimique, le sel et les abricots secs hachés et mélangez bien.

5 Versez la préparation dans le moule et faites cuire 25-30 minutes dans un four préchauffé à 180°C/ 350°F/ Thermostat 4.

6 Il se peut que le milieu du gâteau ne soit pas tout à fait ferme, mais il le deviendra en refroidissant. Laissez refroidir dans le moule.

7 Lorsque le gâteau est complètement refroidi, démoulez-le et coupez-le en barres ou en pavés.

VARIANTE

Remplacez le chocolat blanc par du chocolat au lait ou noir, selon votre préférence.

Gâteau croustillant aux fruits

La farine de maïs donne à ce gâteau aux fruits sa texture ainsi que sa couleur dorée originale.
Elle lie également les ingrédients pour créer une texture plus légère.

Pour 8–10 personnes

INGRÉDIENTS

100 g/ 3¹/₂ onces/ ¹/₃ tasse de beurre,
  ramolli
100 g/ 3¹/₂ onces/ ¹/₂ tasse de sucre en
  poudre
2 œufs, battus

50 g/ 1³/₄ onces/ ¹/₃ tasse de farine
  avec poudre levante, tamisée
100 g/ 3¹/₂ onces/ ²/₃ tasse de farine de
  maïs
1 cuil. à café de levure chimique

225 g/ 8 onces de fruits secs mélangés
25 g/ 1 once de pignons
zeste râpé d'un citron
4 cuil. à soupe de jus de citron
2 cuil. à soupe de lait

1 Beurrez un moule à gâteau de 18 cm/ 7 pouces et garnissez le fond de papier sulfurisé.

2 Dans un saladier, battez ensemble le beurre et le sucre jusqu'à ce que vous obteniez une crème pâle et aérée.

3 Ajoutez progressivement les œufs battus en fouettant bien après chaque addition.

4 Incorporez la farine, la levure chimique et la farine de maïs et amalgamez bien le tout.

5 Ajoutez les fruits secs mélangés, les pignons, le zeste de citron râpé, le jus de citron et le lait.

6 À l'aide d'une cuillère, versez la préparation dans le moule préparé et lissez la surface.

7 Faites cuire dans un four préchauffé à 180°C/ 350°F/ Thermostat 4, environ 1 heure ou jusqu'à ce qu'une aiguille en acier insérée au centre du gâteau en ressorte propre.

8 Laissez le gâteau refroidir dans le moule avant de le démouler.

VARIANTE

Pour obtenir un gâteau aux fruits plus léger et plus aéré, remplacez la farine de maïs par 150 g/ 5¹/₂ onces/ 1¹/₄ tasses de farine avec poudre levante.

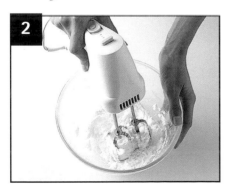

Gâteau glacé au chocolat

*Ce gâteau glacé au chocolat doit sa texture moelleuse
à la crème fraîche ajoutée au mélange battu.*

Pour 10-12 personnes

INGRÉDIENTS

225 g/ 8 onces/ 1 tasse de beurre
100 g/ 3$^{1}/_{2}$ onces de chocolat noir,
   coupé en morceaux
150 ml/ $^{1}/_{4}$ pinte/ $^{2}/_{3}$ tasse d'eau
300 g/ 10$^{1}/_{2}$ onces/ 2 $^{1}/_{2}$ tasses de
   farine

2 cuil. à café de levure chimique
275 g/ 9$^{1}/_{2}$ onces/ 1$^{2}/_{3}$ tasses de sucre
   roux
150 ml/ $^{1}/_{4}$ pinte/ $^{2}/_{3}$ tasse de crème
   aigre
2 œufs, battus

GLAÇAGE :
200 g/ 7 onces de chocolat noir
6 cuil. à soupe d'eau
3 cuil. à soupe de crème liquide
1 cuil. à soupe de beurre, refroidi

1 Beurrez un moule à gâteau de 33 x 20 cm/ 13 x 8 pouces et garnissez le fond de papier sulfurisé. Dans une casserole, faites fondre le beurre et le chocolat avec l'eau sur feu doux, en remuant fréquemment.

2 Tamisez la farine et la levure chimique dans un saladier et ajoutez le sucre.

3 Versez le chocolat chaud dans le saladier, puis battez bien tous les ingrédients jusqu'à ce que vous obteniez un mélange homogène.

Ajoutez la crème aigre, suivie des œufs.

4 Versez cette préparation dans le moule préparé et faites cuire 40-45 minutes dans un four préchauffé à 190°C/ 375°F/ Thermostat 5.

5 Laissez le gâteau refroidir avant de le démouler sur une grille. Laissez refroidir complètement.

6 Pour le glaçage, faites fondre le chocolat avec l'eau dans une casserole sur feu très doux, ajoutez la crème puis retirez du feu. Ajoutez le beurre refroidi tout en remuant, puis nappez ce glaçage sur le gâteau refroidi en vous aidant d'une spatule pour l'étaler uniformément sur le dessus du gâteau.

MON CONSEIL

Laissez le gâteau sur la grille pour le glacer en plaçant en dessous une grande plaque à pâtisserie pour recueillir les retombées éventuelles.

Gâteau au chocolat et aux amandes

Ce gâteau est particulièrement agréable servi l'été avec de la crème épaisse
et une sélection de baies fraîchement cueillies.

Pour 10 personnes

INGRÉDIENTS

225 g/ 8 onces de chocolat noir, coupé
   en morceaux
3 cuil. à soupe d'eau
150 g/ 5$^{1}/_{2}$ onces/ 1 tasse de sucre roux
175 g/ 6 onces/ $^{3}/_{4}$ tasse de beurre,
   ramolli

25 g/ 1 once/ $^{1}/_{4}$ tasse de poudre
   d'amandes
3 cuil. à soupe de farine avec poudre
   levante
5 œufs, blancs et jaunes séparés

100 g/ 3$^{1}/_{2}$ onces/ $^{1}/_{4}$ tasse d'amandes
   mondées, finement concassées
sucre glace, pour saupoudrer
crème épaisse, pour servir (facultatif)

1 Beurrez un moule à gâteau de 23 cm/ 9 pouces avec fond amovible et garnissez le fond de papier sulfurisé.

2 Dans une casserole sur feu très doux, faites fondre le chocolat avec l'eau, en remuant jusqu'à ce que vous obteniez un mélange homogène. Ajoutez le sucre et remuez jusqu'à dissolution, en retirant la casserole du feu pour éviter de surchauffer.

3 Ajoutez progressivement le beurre jusqu'à ce qu'il fonde dans le chocolat. Retirez du feu et ajoutez progressivement la poudre d'amandes et la farine. Ajoutez les jaunes d'œufs un à la fois, en battant bien après chaque addition.

4 Dans un grand saladier, battez les blancs d'œufs en neige, puis incorporez-les à la préparation au chocolat à l'aide d'une cuillère en métal. Ajoutez-y les amandes concassées. Versez cette préparation dans le moule et lissez la surface.

5 Faites cuire dans un four préchauffé à 180°C/ 350°F/ Thermostat 4, 40-45 minutes, jusqu'à ce que le gâteau soit bien levé et ferme (des crevasses apparaissent à la surface du gâteau pendant la cuisson).

6 Laissez le gâteau refroidir dans le moule 30-40 minutes, puis démoulez-le sur une grille pour le laisser refroidir complètement. Saupoudrez de sucre glace et servez en tranches avec la crème épaisse, au choix.

MON CONSEIL

Pour un parfum de noix encore plus prononcé, faites griller les amandes concassées dans une poêle non beurrée sur feu modéré environ 2 minutes, jusqu'à ce que les amandes soient légèrement dorées.

Gâteau à la carotte

*Servi au goûter, ce grand classique est toujours autant
apprécié des enfants que des adultes.*

Pour 12 barres

INGRÉDIENTS

125 g/ 4$^{1}/_{2}$ onces/ 1 tasse de farine
  avec poudre levante
pincée de sel
1 cuil. à café de cannelle en poudre
125 g/ 4$^{1}/_{2}$ onces/ $^{3}/_{4}$ tasse de sucre
  roux
2 œufs
100 ml/ 3$^{1}/_{2}$ oz liquides/ $^{1}/_{2}$ tasse à
  peine d'huile de tournesol

125 g/ 4$^{1}/_{2}$ onces de carottes,
  épluchées et finement râpées
25 g/ 1 once/ $^{1}/_{3}$ tasse de noix de
  coco séchée
25 g/ 1 once/ $^{1}/_{3}$ tasse de noix,
  concassées
morceaux de noix, pour le décor

GLAÇAGE :
50 g/ 1$^{3}/_{4}$ onces/ 10 cuil. à café de
  beurre, ramolli
50 g/ 1$^{3}/_{4}$ onces de fromage frais entier
225 g/ 8 onces/ 1$^{1}/_{2}$ tasses de sucre
  glace, tamisé
1 cuil. à café de jus de citron

1 Beurrez légèrement un moule
à gâteau de 20 cm/ 8 pouces et
garnissez-le de papier sulfurisé.

2 Tamisez la farine, le sel et la
cannelle en poudre dans un
grand saladier puis ajoutez le sucre
roux. Ajoutez les œufs et l'huile aux
ingrédients secs et mélangez bien
le tout.

3 Ajoutez la carotte râpée, la noix
de coco et les noix concassées.

4 Versez cette préparation dans le
moule préparé et faites cuire dans
un four préchauffé à 180°C/ 350°F/
Thermostat 4, 20-25 minutes ou jusqu'à
ce que le gâteau soit juste ferme au
toucher. Laissez refroidir dans le moule.

5 Pendant ce temps, préparez le
glaçage au fromage. Dans un
saladier, battez ensemble le beurre, le
fromage frais entier, le sucre glace et le
jus de citron, jusqu'à ce que vous
obteniez un mélange aéré et crémeux.

6 Démoulez le gâteau et découpez-
le en 12 barres ou tranches.
Recouvrez de glaçage et décorez avec
les morceaux de noix.

VARIANTE

*Pour un gâteau encore plus moelleux,
remplacez la noix de coco par une banane
grossièrement écrasée.*

Gâteau au sirop et au citron

*La délicieuse saveur légère et âpre du gâteau est compensée parfaitement
par le sirop citronné versé sur le dessus du gâteau.*

Pour 8 personnes

INGRÉDIENTS

200 g/ 7 onces/ 1³/₄ tasses de farine
2 cuil. à café de levure chimique
200 g/ 7 onces/ 1 tasse de sucre en
  poudre
4 œufs

150 ml/ ¹/₄ pinte/ ²/₃ tasse de crème
  aigre
zeste râpé d'un gros citron
4 cuil. à soupe de jus de citron
150 ml/ ¹/₄ pinte/ ²/₃ tasse d'huile de
  tournesol

SIROP :
4 cuil. à soupe de sucre glace
3 cuil. à soupe de jus de citron

1 Beurrez légèrement un moule rond
de 20 cm/ 8 pouces à fond amovible
et garnissez le fond de papier sulfurisé.

2 Tamisez la farine et la levure
chimique dans un saladier et
ajoutez le sucre.

3 Dans un autre saladier, mélangez en
fouettant les œufs, la crème aigre, le
zeste de citron, le jus de citron et l'huile.

4 Versez la préparation aux œufs
dans les ingrédients secs et
mélangez bien le tout jusqu'à ce que vous
obteniez une préparation homogène.

5 Versez ce mélange dans le moule
préparé et faites cuire au four
préchauffé à 180°C/ 350°F/ Thermostat 4,
45-60 minutes, jusqu'à ce que le gâteau ait
bien levé et soit doré.

6 Pendant ce temps, préparez le
sirop en mélangeant le sucre glace
et le jus de citron dans une petite
casserole. Remuez sur feu doux jusqu'à
ce que liquide frémisse et devienne
sirupeux.

7 Dès la sortie du four, piquez la
surface du gâteau à l'aide d'une
aiguille en acier, puis badigeonnez le

dessus de sirop. Laissez le gâteau
refroidir complètement dans le moule
avant de démouler et de servir.

MON CONSEIL

*Le fait de piquer la surface du gâteau chaud
avec une aiguille en acier va permettre
d'imprégner le gâteau bien à cœur et de lui
donner toute sa saveur.*

Kouglof à l'orange

*Le moule à kouglof donne à ce gâteau sa forme superbe
dont vous apprécierez l'arôme savoureux plein d'orange.*

Pour 6-8 personnes

INGRÉDIENTS

225 g/ 8 onces/ 1 tasse de beurre,
  ramolli

225 g/ 8 onces/ 1 tasse de sucre en
  poudre

4 œufs, jaunes et blancs séparés

425 g/ 15 onces/ 3³/₄ tasses de farine

3 cuil. à café de levure chimique
pincée de sel

300 ml/ ½ pinte/ 1¹/₄ tasses de jus
  d'orange fraîchement pressé

1 cuil. à soupe d'eau de fleurs d'oranger

1 cuil. à café de zeste d'orange râpé

SIROP :

200 ml/ 7 oz liquides/ ³/₄ tasse de jus
  d'orange

200 g/ 7 onces/ 1 tasse de sucre
  semoule

1 Beurrez et farinez un moule à kouglof ou un moule à charlotte profond de 25 cm/ 10 pouces.

2 Dans un saladier, malaxez le beurre avec le sucre en poudre jusqu'à ce que vous obteniez une crème pâle et aérée. Ajoutez les jaunes d'œufs un à la fois, en fouettant après chaque addition.

3 Dans un autre saladier, tamisez ensemble la farine, le sel et la levure chimique. À l'aide d'une cuillère en métal, incorporez les ingrédients secs et le jus d'orange dans le mélange crémeux en les alternant et en travaillant le plus délicatement possible. Ajoutez l'eau de fleurs d'oranger et le zeste d'orange.

4 Battez les blancs d'œufs en neige et ajoutez-les à la préparation.

5 Versez dans le moule préparé et faites cuire dans un four préchauffé à 180°C/ 350°F/ Thermostat 4, pendant 50-55 minutes ou jusqu'à ce qu'une aiguille en acier insérée au centre du gâteau en ressorte propre.

6 Dans une casserole, portez le jus d'orange et le sucre à ébullition puis laissez cuire 5 minutes à feu doux jusqu'à ce que le sucre ait fondu.

7 Sortez le gâteau du four et laissez-le refroidir 10 minutes dans le moule. À l'aide d'une aiguille en acier, piquez le dessus du gâteau et badigeonnez de la moitié du sirop. Laissez le gâteau refroidir encore 10 minutes. Retournez le gâteau sur une grille placée au-dessus d'un plat creux et badigeonnez le reste du sirop sur le gâteau jusqu'à ce qu'il soit complètement recouvert. Servez.

Gâteau à la noix de coco

Cette recette est particulièrement appréciée de toute la famille. Pour ma part, lorsqu'on m'en donnait pour mon casse-croûte, j'en sautais de joie !

Pour 6-8 personnes

INGRÉDIENTS

225 g/ 8 onces de farine avec poudre levante
pincée de sel
100 g/ 3¹/₂ onces/ ¹/₂ tasse de beurre, coupé en petits morceaux

100 g/ 3¹/₂ onces/ ¹/₂ tasse de cassonade
100 g/ 3¹/₂ onces/ 1 tasse de noix de coco séchée et un peu plus pour saupoudrer

2 œufs, battus
4 cuil. à soupe de lait

1 Beurrez un moule à cake de 900 g/ 2 lb et garnissez le fond de papier sulfurisé.

2 Tamisez la farine et le sel dans un saladier et incorporez le beurre en l'effritant avec les doigts jusqu'à ce que le mélange ressemble à de la semoule.

3 Ajoutez le sucre, la noix de coco, les œufs et le lait et mélangez le tout pour obtenir une pâte homogène molle qui tombe de la cuillère.

4 Versez le mélange dans le moule préparé et lissez la surface. Faites cuire 30 minutes dans un four préchauffé à 160°C/ 325°F/ Thermostat 3.

5 Sortez le gâteau du four et saupoudrez la noix de coco réservée. Remettez le gâteau au four et laissez-le cuire encore 30 minutes, jusqu'à ce qu'il soit bien levé et doré et qu'une aiguille en acier insérée en son centre en ressorte propre.

6 Laissez le gâteau refroidir avant de le démouler, puis transférez-le sur une grille pour le laisser refroidir complètement avant de servir.

MON CONSEIL

Ce gâteau sera encore meilleur si vous le conservez dans un endroit sec et frais pendant quelques jours avant de le manger.

Gâteau aux pommes et au cidre

Ce gâteau peut être servi soit au goûter, soit avec une tasse de café,
ou même réchauffé et servi en dessert avec de la crème fraîche.

Pour un gâteau de 20 cm/8 pouces

INGRÉDIENTS

225 g/ 8 onces/ 2 tasses de farine avec poudre levante

1 cuil. à café de levure chimique

75 g/ 2³/₄ onces/ ¹/₃ tasse de beurre, coupé en petits morceaux

75 g/ 2³/₄ onces/ ¹/₃ tasse de sucre en poudre

50 g/ 1³/₄ onces de pommes séchées, hachées

75 g/ 2³/₄ onces/ 5 cuil. à soupe de raisins secs

150 ml/ ¹/₄ pinte/ ²/₃ tasse de cidre doux

1 œuf, battu

175 g/ 6 onces de framboises

1 Beurrez un moule à gâteau de 20 cm/ 8 pouces et garnissez-le de papier sulfurisé.

2 Tamisez la farine et le sel dans un saladier et incorporez le beurre en l'effritant avec les doigts jusqu'à ce que le mélange ressemble à de la semoule.

3 Ajoutez le sucre en poudre, les pommes séchées hachées et les raisins secs.

4 Versez le cidre doux et l'œuf et mélangez le tout jusqu'à ce que vous obteniez une préparation homogène.

Ajoutez les framboises en remuant délicatement pour qu'elles restent entières.

5 Versez le mélange dans le moule préparé.

6 Faites cuire dans un four préchauffé à 190°C/ 375°F/ Thermostat 5, environ 40 minutes, jusqu'à ce que le gâteau soit bien levé et légèrement doré.

7 Laissez le gâteau refroidir dans le moule, puis démoulez-le sur une grille. Laissez refroidir complètement avant de servir.

VARIANTE

Si vous ne voulez pas utiliser de cidre,
remplacez-le par du jus de pomme limpide,
selon votre préférence.

Couronne épicée aux pommes

L'ajout de morceaux de pommes et d'amandes croustillantes rend ce gâteau délicieusement moelleux et en même temps légèrement croquant.

Pour 8 personnes

INGRÉDIENTS

175 g/ 6 onces/ ¾ tasse de beurre, ramolli

175 g/ 6 onces/ ¾ tasse de sucre en poudre

3 œufs, battus

175 g/ 6 onces/ 1½ tasses de farine avec poudre levante

1 cuil. à café de cannelle en poudre

1 cuil. à café d'épices mélangées en poudre (allspice)

2 pommes à croquer, cœur enlevé, râpées

2 cuil. à soupe de jus de pomme ou de lait

25 g/ 1 once/ ¼ tasse d'amandes effilées

1 Beurrez légèrement un moule en couronne de 25 cm/ 10 pouces allant au four.

2 Dans un saladier, travaillez le beurre et le sucre jusqu'à ce que vous obteniez une crème pâle et aérée. Ajoutez les œufs battus, en battant bien après chaque addition.

3 Tamisez la farine et les épices, et incorporez-les délicatement à la préparation.

4 Ajoutez les pommes râpées et le jus de pomme ou le lait et amalgamez le tout pour obtenir une pâte homogène molle qui tombe de la cuillère.

5 Parsemez les amandes effilées au fond du moule et versez la préparation par-dessus. Lissez la surface avec le dos d'une cuillère.

6 Faites cuire dans un four préchauffé à 180°C/ 350°F/ Thermostat 4, environ 30 minutes, jusqu'à ce que le gâteau soit bien levé et qu'une aiguille en acier insérée en son centre en ressorte propre.

7 Laissez le gâteau refroidir avant de le démouler et de le transférer sur une grille pour qu'il refroidisse complètement. Servez la couronne aux pommes coupée en tranches.

MON CONSEIL

Ce gâteau peut également être réalisé dans un moule à gâteau rond de 18 cm/ 7 pouces si vous ne possédez pas de moule en couronne.

Gâteau marbré au chocolat

Deux pâtes différentes, l'une au chocolat et l'autre à l'orange sont mélangées dans un moule en couronne pour produire les marbrures de ce gâteau léger.

Pour 8 personnes

INGRÉDIENTS

175 g/ 6 onces/ ¾ tasse de beurre, ramolli

175 g/ 6 onces/ ¾ tasse de sucre en poudre

3 œufs, battus

150 g/ 5½ onces/ 1¼ tasses de farine avec poudre levante, tamisée

25 g/ 1 once/ ¼ tasse de cacao en poudre, tamisé

5-6 cuil. à soupe de jus d'orange

zeste râpé d'une orange

1 Beurrez légèrement un moule en couronne de 25 cm/ 10 pouces allant au four.

2 Dans un saladier, travaillez le beurre avec le sucre environ 5 minutes avec un fouet électrique.

3 Ajoutez progressivement l'œuf battu, en fouettant bien après chaque addition.

4 À l'aide d'une cuillère en métal, incorporez la farine dans le mélange crémeux, puis versez la moitié de la pâte dans un autre saladier.

5 Incorporez délicatement le cacao en poudre et la moitié du jus d'orange dans l'un des saladiers.

6 Incorporez délicatement le zeste d'orange et le jus d'orange restant dans l'autre saladier.

7 Déposez une cuillerée de chaque pâte en alternance dans le moule, puis passez une aiguille en acier dans la pâte pour créer un effet de marbrure.

8 Faites cuire dans un four préchauffé à 180°C/ 350°F/ Thermostat 4, pendant 30-35 minutes,

jusqu'à ce que le gâteau soit bien levé et qu'une aiguille en acier insérée en son centre en ressorte propre.

9 Laissez le gâteau refroidir dans le moule avant de le démouler sur une grille.

VARIANTE

Pour un goût chocolaté encore plus riche, ajoutez 40 g/ 1¾ onces de pépites de chocolat à la pâte au cacao.

Streusel au café et aux amandes

Ce gâteau est composé d'un fond de génoise moelleuse au café
recouvert d'une garniture aux épices croustillante.

Pour 8 personnes

INGRÉDIENTS

275 g/ 9½ onces/ 1¼ tasses de farine
1 cuil. à soupe de levure chimique
75 g/ 2¾ onces/ ⅓ tasse de sucre en poudre
150 ml/ ¼ pinte/ ⅔ tasse de lait
2 œufs
100 g/ 3½ onces/ ½ tasse de beurre, fondu et refroidi

2 cuil. à soupe de café instantané délayé avec 1 cuil. à soupe d'eau bouillante
50 g/ 1¾ onces/ ⅓ tasse d'amandes, concassées
sucre glace, pour saupoudrer

GARNITURE :
75 g/ 2¾ onces/ ½ tasse de farine avec poudre levante

75 g/ 2¾ onces/ ⅓ tasse de cassonade
25 g/ 1 once/ 6 cuil. à café de beurre, coupé en petits morceaux
1 cuil. à café d'épices mélangées en poudre (all spice)
1 cuil. à soupe d'eau

---

1 Beurrez un moule à gâteau rond de 23 cm/ 9 pouces à fond amovible et garnissez-le de papier sulfurisé. Tamisez la farine et la levure chimique dans un saladier puis ajoutez le sucre en poudre.

2 Fouettez ensemble le lait, les œufs, le beurre et le café et versez cette préparation sur les ingrédients secs. Ajoutez les amandes concassées et mélangez délicatement.

À l'aide d'une cuillère, versez la pâte dans le moule.

3 Pour la garniture, mélangez la farine et la cassonade dans un autre saladier.

4 Incorporez le beurre en l'effritant avec les doigts jusqu'à ce que vous obteniez un mélange granuleux. Ajoutez les épices mélangées en poudre (allspice) et l'eau et amalgamez le tout

grossièrement. Parsemez cette garniture sur la pâte à gâteau.

5 Faites cuire 50-60 minutes dans un four préchauffé à 190°C/ 375°F/ Thermostat 5. Recouvrez de papier d'aluminium si le dessus dore trop rapidement. Laissez refroidir, puis démoulez. Saupoudrez de sucre glace juste avant de servir.

Gâteau aux fruits sans sucre

*Ce gâteau doit toute sa saveur aux différents fruits, lesquels lui donnent
un goût suffisamment sucré pour ne pas avoir à ajouter de sucre.*

Pour 8–10 personnes

INGRÉDIENTS

350 g/ 12 onces/ 3 tasses de farine
2 cuil. à café de levure chimique
1 cuil. à café d'épices mélangées en
  poudre (allspice)
125 g/ 4¹/₂ onces/ ¹/₂ tasse de beurre,
  coupé en petits morceaux

75 g/ 2³/₄ onces d'abricots secs prêts à
  l'emploi, hachés
75 g/ 2³/₄ onces de dattes, hachées
75 g/ 2³/₄ onces/ ¹/₃ tasse de cerises
  confites, hachées
100 g/ 3¹/₂ onces/ ²/₃ tasse de raisins
  secs

125 ml/ 4 oz liquides/ ¹/₂ tasse de lait
2 œufs, battus
zeste râpé d'une orange
5-6 cuil. à soupe de jus d'orange
3 cuil. à soupe de miel liquide

1 Beurrez un moule à gâteau rond de 20 cm/ 8 pouces et garnissez le fond de papier sulfurisé.

2 Tamisez la farine, la levure chimique et les épices mélangées en poudre (allspice) dans un grand saladier.

3 Incorporez le beurre en l'effritant avec les doigts jusqu'à ce que vous obteniez un mélange ressemblant à de la semoule.

4 Ajoutez délicatement les abricots, les dattes, les cerises confites et les raisins secs ainsi que le lait, les œufs battus, le zeste d'orange râpé et le jus d'orange.

5 Ajoutez le miel et amalgamez le tout pour former une pâte homogène et molle qui tombe de la cuillère. À l'aide d'une cuillère, versez la pâte dans le moule préparé et lissez la surface.

6 Faites cuire dans un four préchauffé à 180°C/ 350°F/ Thermostat 4, pendant 1 heure, jusqu'à ce qu'une aiguille en acier insérée au centre du gâteau en ressorte propre.

7 Laissez le gâteau refroidir avant de démouler.

VARIANTE

Pour un goût fruité différent, remplacez le miel par une banane mûre écrasée, selon votre préférence.

Gâteau aux amandes

Le glaçage au miel étalé après la cuisson donne à ce gâteau parfumé aux amandes une délicieuse texture moelleuse, bien qu'il puisse se déguster sans glaçage, si vous préférez.

Pour 8 personnes

INGRÉDIENTS

100 g/ 3$^{1}/_{2}$ onces/ $^{1}/_{3}$ tasse de margarine
50 g/ 1$^{3}/_{4}$ onces/ 3 cuil. à soupe de sucre
    roux
2 œufs
175 g/ 6 onces/ 1$^{1}/_{2}$ tasses de farine avec
    poudre levante

1 cuil. à café de levure chimique
4 cuil. à soupe de lait
2 cuil. à soupe de miel liquide
50 g/ 1$^{3}/_{4}$ onces/ $^{1}/_{2}$ tasse d'amandes
    effilées

SIROP :
150 ml/ $^{1}/_{4}$ pinte/ $^{2}/_{3}$ tasse de miel liquide
2 cuil. à soupe de jus de citron

1 Beurrez un moule à gâteau rond de 18 cm/ 7 pouces et garnissez-le de papier sulfurisé.

2 Mettez la margarine, le sucre roux, les œufs, la farine, la levure chimique, le lait et le miel dans un grand saladier et battez bien le tout avec une cuillère en bois pendant 1 minute environ, jusqu'à ce que vous obteniez un mélange homogène.

3 Avec une cuillère, versez dans le moule préparé, lissez la surface avec le dos d'une cuillère ou d'un couteau et saupoudrez d'amandes.

4 Faites cuire dans un four préchauffé à 180°C/ 350°F/ Thermostat 4, environ 50 minutes ou jusqu'à ce que le gâteau soit bien levé.

5 Pendant ce temps, préparez le sirop. Mélangez le miel et le jus de citron dans une petite casserole et laissez cuire environ 5 minutes à feu doux ou jusqu'à ce que le sirop nappe le dos d'une cuillère.

6 Dès que vous avez sorti le gâteau du four, versez le sirop dessus en le laissant pénétrer jusqu'en son centre.

7 Laissez le gâteau refroidir au moins 2 h avant de le couper en tranches.

MON CONSEIL

Pour le glaçage au sirop, essayez plusieurs miels jusqu'à ce que vous trouviez celui que vous préférez.

Pain d'épices

*Ce pain d'épices est encore plus moelleux
grâce aux pommes fraîches hachées qui y sont ajoutées.*

Pour 12 portions

INGRÉDIENTS

150 g/ 5¹/₂ onces/ ²/₃ tasse de beurre
175 g/ 6 onces/ 1 tasse de sucre roux
2 cuil. à soupe de mélasse
225 g/ 8 onces/ 2 tasses de farine

1 cuil. à café de levure chimique
2 cuil. à café de bicarbonate de soude
2 cuil. à café de gingembre en poudre
150 ml/ ¹/₄ pinte/ ²/₃ tasse de lait

1 œuf, battu
2 pommes à croquer, épluchées,
hachées et nappées d'une cuillère à
soupe de jus de citron

1 Beurrez un moule à gâteau carré de 23 cm/ 9 pouces et garnissez-le de papier sulfurisé.

2 Faites fondre le beurre, le sucre et la mélasse dans une casserole sur feu doux et laissez ce mélange refroidir.

3 Tamisez la farine, la levure chimique, le bicarbonate de soude et le gingembre dans un saladier.

4 Ajoutez le lait, l'œuf battu et la crème au beurre refroidie, puis les pommes hachées nappées de jus de citron.

5 Mélangez le tout délicatement, puis versez ce mélange dans le moule préparé.

6 Faites cuire dans un four préchauffé à 170°C/ 325°F/ Thermostat 3, 30-35 minutes, jusqu'à ce que le gâteau ait levé et qu'une aiguille en acier insérée en son centre en ressorte propre.

7 Laissez le gâteau refroidir avant de le démouler, et de le couper en 12 parts rectangulaires.

VARIANTE

Si vous aimez le goût de gingembre, ajoutez à la préparation 25 g/ 1 once de gingembre confit finement haché à l'étape n° 3.

Sablés aux pommes

Ce dessert de style américain est composé d'un sablé sucré préparé le jour même, coupé en deux et garni de tranches de pommes et de crème fouettée. Les sablés peuvent se manger tièdes ou froids.

Pour 4 sablés

INGRÉDIENTS

150 g/ 5¹/₂ onces/ 1¹/₄ tasses de farine
¹/₂ cuil. à café de sel
1 cuil. à café de levure chimique
1 cuil. à soupe de sucre en poudre
25 g/ 1 once/ 6 cuil. à café de beurre, coupé en petits morceaux

50 ml/ 2 oz liquides/ ¹/₄ tasse de lait
sucre glace, pour saupoudrer

GARNITURE :
3 pommes à croquer, épluchées, cœur enlevé et coupées en tranches

100 g/ 3¹/₂ onces/ ¹/₂ tasse de sucre en poudre
1 cuil. à soupe de jus de citron
1 cuil. à café de cannelle en poudre
300 ml/ ¹/₂ pinte/ 1¹/₃ tasses d'eau
150 ml/ ¹/₄ pinte/ ²/₃ tasse de crème épaisse, légèrement fouettée

1 Beurrez légèrement une plaque à pâtisserie.

2 Tamisez la farine, le sel et la levure chimique dans un saladier. Ajoutez le sucre, puis incorporez le beurre en l'effritant avec les doigts jusqu'à ce que vous obteniez un mélange ressemblant à de la semoule.

3 Versez le lait et mélangez le tout pour former une pâte souple. Sur une surface légèrement farinée, pétrissez légèrement la pâte, puis roulez-la sur une épaisseur de 1 cm/ ¹/₂ pouce. Découpez quatre disques à l'aide d'un emporte-pièce de 5 cm/ 2 pouces. Posez les disques de pâte sur la plaque à pâtisserie préparée.

4 Faites cuire dans un four préchauffé à 220°C/ 425°F/ Thermostat 7, environ 15 minutes, jusqu'à ce que les sablés aient bien levé et soient légèrement dorés. Laissez refroidir.

5 Pour la garniture, mettez les tranches de pommes, le sucre, le jus de citron et la cannelle dans une casserole.

6 Ajoutez l'eau, portez à ébullition et laissez cuire 5-10 minutes à feu doux, sans couvrir, jusqu'à ce que les pommes soient tendres. Laissez refroidir légèrement puis sortez les pommes de la casserole.

7 Pour servir, coupez les sablés en deux. Dressez chaque fond sur une assiette et garnissez d'un quart de tranches de pommes puis de crème. Recouvrez avec l'autre moitié du sablé. Saupoudrez de sucre glace, au choix.

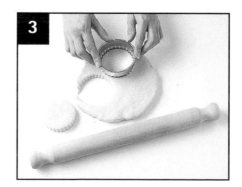

Scones à la mélasse

*Ces scones sont aussi légers et moelleux que les scones traditionnels,
mais délicieusement parfumés par la mélasse.*

Pour 8 scones

INGRÉDIENTS

225 g/ 8 onces/ 2 tasses de farine avec
   poudre levante
1 cuil. à soupe de sucre en poudre
pincée de sel

75 g/ 2³/₄ onces/ ¹/₃ tasse de beurre,
   coupé en petits morceaux
1 pomme à croquer, épluchée, cœur
   enlevé et hachée

1 œuf, battu
2 cuil. à soupe de mélasse
75 ml/ 2¹/₂ oz liquides/ 5 cuil. à soupe
   de lait

1 Beurrez légèrement une plaque à pâtisserie.

2 Tamisez la farine, le sucre et le sel dans un saladier.

3 Incorporez le beurre en l'effritant avec les doigts jusqu'à ce que vous obteniez un mélange ressemblant à de la semoule.

4 Ajoutez les morceaux de pommes et remuez jusqu'à ce que vous obteniez une préparation homogène.

5 Mélangez l'œuf battu, la mélasse et le lait dans un pichet gradué.

Ajoutez aux ingrédients secs pour former une pâte souple.

6 Sur un plan de travail légèrement fariné, roulez la pâte à une épaisseur de 2 cm/ ³/₄ pouces et découpez-y 8 scones, à l'aide d'un emporte-pièce de 5 cm/ 2 pouces.

7 Disposez les scones sur la plaque à pâtisserie préparée et faites cuire 8-10 minutes dans un four préchauffé à 220°C/ 425°F/ Thermostat 7.

8 Transférez les scones sur une grille et laissez refroidir légèrement.

9 Servez coupés en deux et tartinés de beurre.

MON CONSEIL

*Ces scones peuvent être congelés, mais il est
préférable de les décongeler et de les manger
dans le mois qui suit.*

Scones aux cerises

Cette recette est une autre façon de préparer les scones traditionnels, avec cette fois des cerises confites qui, non seulement apportent une note colorée mais aussi un parfum distinctif.

Pour 8 scones

INGRÉDIENTS

225 g/ 8 onces/ 2 tasses de farine avec poudre levante
1 cuil. à soupe de sucre en poudre
pincée de sel

75 g/ $2^3/4$ onces/ $^1/_3$ tasse de beurre, coupé en petits morceaux
40 g/ $1^1/_2$ onces/ 3 cuil. à soupe de cerises confites, hachées

40 g/ $1^1/_2$ onces/ 3 cuil. à soupe de raisins de Smyrne
1 œuf, battu
50 ml/ 2 oz liquides/ $^1/_4$ tasse de lait

1 Beurrez légèrement une plaque à pâtisserie.

2 Tamisez la farine, le sucre et le sel dans un saladier et incorporez le beurre en l'effritant avec les doigts jusqu'à ce que vous obteniez un mélange ressemblant à de la chapelure.

3 Ajoutez les cerises confites et les raisins de Smyrne et remuez. Ajoutez l'œuf.

4 Réservez une cuil. à soupe de lait pour le glaçage, puis ajoutez le reste à la préparation. Amalgamez le tout pour former une pâte souple.

5 Sur une surface légèrement farinée, roulez la pâte à une épaisseur de 2 cm/ $^3/4$ pouces et découpez 8 scones à l'aide d'un emporte-pièce de 5 cm/ 2 pouces.

6 Disposez les scones sur la plaque à pâtisserie et badigeonnez avec le reste du lait.

7 Faites cuire dans un four préchauffé à 220°C/ 425°F/ Thermostat 7, pendant 8-10 minutes ou jusqu'à ce que les scones soient bien dorés.

8 Laissez refroidir sur une grille, puis servez coupés en deux et tartinés de beurre.

MON CONSEIL

Ces scones se congèlent très bien mais il est préférable de les décongeler et de les manger dans le mois qui suit.

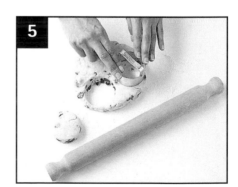

Muffins aux canneberges

Ces muffins salés accompagnent parfaitement une soupe ou remplacent très agréablement
les petits gâteaux sucrés servis avec le café.

Pour 18 muffins

INGRÉDIENTS

225 g/ 8 onces/ 2 tasses de farine
2 cuil. à café de levure chimique
1/2 cuil. à café de sel
50 g/ 1³/4 onces/ 9 cuil. à café de sucre
   en poudre

50 g/ 1³/4 onces/ 10 cuil. à café de
   beurre, fondu
2 œufs, battus
200 ml/ 7 oz liquides/ ³/4 tasse de lait

100 g/ 3¹/2 onces de canneberges
   fraîches
2 cuil. à soupe de parmesan
   fraîchement râpé

1 Beurrez légèrement deux plaques
à muffins.

2 Tamisez la farine, la levure
chimique et le sel dans un
saladier. Ajoutez le sucre en poudre.

3 Dans un autre saladier, mélangez
le beurre, les œufs battus et le lait
puis versez cette préparation dans le
saladier contenant les ingrédients secs.

4 Mélangez délicatement tous les
ingrédients jusqu'à ce que vous
obteniez un mélange homogène puis
ajoutez les canneberges fraîches.

5 Répartissez cette pâte entre les
plaques préparées.

6 Parsemez chaque muffin de
parmesan râpé.

7 Faites cuire dans un four
préchauffé à 200°C/ 400°F/
Thermostat 6, environ 20 minutes
ou jusqu'à ce que les muffins aient
bien levé et soient bien dorés.

8 Laissez les muffins refroidir sur
les plaques, puis transférez-les
sur une grille et laissez-les refroidir
complètement avant de servir.

VARIANTE

Pour une recette plus
sucrée, remplacez
le parmesan par
de la cassonade
à l'étape n° 6, selon votre préférence.

Les biscuits

Rien n'est comparable au plaisir de savourer un biscuit fait maison à l'heure du café ou du thé. Ce chapitre vous offre une sélection de biscuits et de desserts délicieux qui titilleront vos papilles et auxquels vous ne pourrez pas résister !

Des biscuits savoureux comme les Croissants de lune au citron, les Meringues, les Cookies aux pépites de chocolat et les Gingernuts, se réalisent facilement, rapidement et avec plaisir. Vous pourrez, au choix, varier la forme des Cœurs à la vanille, des Biscuits au cumin, des Jumbles au citron et des Biscuits au romarin en utilisant votre emporte-pièce favori ! Dans le domaine des biscuits, les possibilités de création sont sans fin.

Pour réaliser vos biscuits, des ingrédients de bonne qualité sont indispensables : les noix et noisettes doivent être aussi fraîches que possible, le chocolat noir ou blanc de bonne qualité, le sucre sera du sucre de canne pur et non raffiné et vous découvrirez que les meilleurs biscuits sont toujours ...au beurre.

Laissez toujours les biscuits refroidir sur une grille et conservez-les dans une boîte hermétique pour les garder frais.

Biscuits aux épices

*Ces biscuits aux épices accompagnent parfaitement une salade de fruits
ou une glace pour un dessert instantané très facile à réaliser.*

Pour environ 24 biscuits

INGRÉDIENTS

175 g/ 6 onces/ ³/₄ tasse de beurre non salé

175 g/ 6 onces/ 1 tasse de sucre de canne complet foncé

225 g/ 8 onces/ 2 tasses de farine

pincée de sel

¹/₂ cuil. à café de bicarbonate de soude

1 cuil. à café de cannelle en poudre

¹/₂ cuil. à café de coriandre en poudre

¹/₂ cuil. à café de noix de muscade en poudre

¹/₄ cuil. à café de clous de girofle en poudre

2 cuil. à soupe de rhum

1 Beurrez légèrement deux plaques à pâtisserie.

2 Mélangez le beurre et le sucre et battez jusqu'à ce que vous obteniez une crème pâle et aérée.

3 Tamisez la farine, le sel, le bicarbonate de soude, la cannelle, la coriandre, la muscade et les clous de girofle dans cette crème.

4 Ajoutez-y le rhum.

5 À l'aide de deux cuillères à café, déposez des petits tas de pâte sur les plaques à pâtisserie, à environ 7 cm/ 3 pouces les uns des autres pour leur laisser la place de s'étaler pendant la cuisson. Aplatissez légèrement chaque tas avec le dos d'une cuillère.

6 Faites cuire dans un four préchauffé à 180°C/ 350°F/ Thermostat 4, pendant 10-12 minutes, jusqu'à ce que les biscuits soient bien dorés.

7 Laissez les biscuits refroidir et se raffermir sur des grilles avant de servir.

MON CONSEIL

Aplatissez légèrement les biscuits avec le dos d'une fourchette avant de les passer au four.

Pavés à la cannelle et au tournesol

Ces pavés ont le moelleux d'un gâteau et un délicieux goût épicé.

Pour 12 pavés

INGRÉDIENTS

250 g/ 9 onces/ 1 tasse de beurre, ramolli

250 g/ 9 onces/ 1¼ tasses de sucre en poudre

3 œufs, battus

250 g/ 9 onces/ 2 tasses de farine avec poudre levante

½ cuil. à café de bicarbonate de soude

1 cuil. à soupe de cannelle en poudre

150 ml/ ¼ pinte/ ⅔ tasse de crème aigre

100 g/ 3½ onces de graines de tournesol

1 Beurrez un moule à gâteau carré de 23 cm/ 9 pouces et garnissez le fond de papier sulfurisé.

2 Dans un grand saladier, malaxez le beurre et le sucre en poudre jusqu'à ce que vous obteniez une crème pâle et aérée.

3 Ajoutez progressivement les œufs battus à cette crème, en battant bien après chaque addition.

4 Tamisez la farine avec la poudre levante, le bicarbonate de soude et la cannelle en poudre dans cette préparation en les incorporant délicatement à l'aide d'une cuillère en métal.

5 Versez la crème aigre et les graines de tournesol et mélangez le tout délicatement pour bien incorporer.

6 Versez la préparation dans le moule garni et lissez la surface avec le dos d'une cuillère ou d'un couteau.

7 Faites cuire dans un four préchauffé à 180°C/ 350°F/ Thermostat 4, environ 45 minutes, jusqu'à ce que le gâteau soit ferme au toucher lorsque vous appuyez avec le doigt.

8 Dégagez les bords à l'aide d'un couteau à lame arrondie, puis démoulez sur une grille et laissez refroidir complètement. Coupez le gâteau en 12 pavés.

MON CONSEIL

Ces pavés moelleux se congèlent très bien et se conserveront jusqu'à un mois.

Gingernuts

*Rien ne peut se comparer au goût de ces authentiques gingernuts
à la sortie du four avec leur délicieux arôme d'orange.*

Pour 30 gingernuts

INGRÉDIENTS

350 g/ 12 onces/ 3 tasses de farine
avec poudre levante
pincée de sel
200 g/ 7 onces/ 1 tasse de sucre en
poudre

1 cuil. à soupe de gingembre en poudre
1 cuil. à café de bicarbonate de soude
125 g/ 4½ onces/ ½ tasse de beurre

75 g/ 2¾ onces/ ¼ tasse de mélasse
raffinée
1 œuf, battu
1 cuil. à café de zeste d'orange râpé

1 Beurrez légèrement plusieurs plaques à pâtisserie.

2 Tamisez la farine, le sel, le sucre, le gingembre et le bicarbonate de soude dans un grand saladier.

3 Faites chauffer le beurre avec la mélasse raffinée dans une casserole sur feu très doux jusqu'à ce que le beurre ait fondu.

4 Laissez le mélange au beurre refroidir légèrement puis versez-le sur les ingrédients secs.

5 Ajoutez l'œuf et le zeste d'orange et amalgamez le tout.

6 Avec les mains, façonnez délicatement 30 boules de pâte de grosseur égale.

7 Placez les boules sur les plaques préparées en les espaçant bien puis aplatissez-les légèrement avec les doigts.

8 Faites cuire dans un four préchauffé à 160°C/ 325°F/ Thermostat 3, pendant 15-20 minutes, puis transférez-les sur une grille pour qu'ils refroidissent.

MON CONSEIL

Conservez ces biscuits dans une boîte hermétique et mangez-les dans la semaine qui suit.

VARIANTE

Si vous aimez vos gingernuts croustillants, laissez-les au four quelques minutes supplémentaires

Biscuits au cumin

La graine de cumin est largement utilisée dans les gâteaux au carvi à l'ancienne.
Ici, le cumin donne aux biscuits une saveur très distinctive.

Pour environ 36 biscuits

INGRÉDIENTS

225 g/ 8 onces/ 2 tasses de farine
pincée de sel
100 g/ 3^1/$_2$ onces/ ^{1}/$_3$ tasse de beurre,
    coupé en petits morceaux

225 g/ 8 onces/ 1^1/$_4$ tasses de sucre en
poudre
1 œuf, battu

2 cuil. à soupe de graines de cumin
cassonade, pour saupoudrer (facultatif)

1 Beurrez légèrement plusieurs plaques à pâtisserie.

2 Tamisez la farine et le sel dans un saladier. Incorporez le beurre en l'effritant avec les doigts jusqu'à ce que vous obteniez un mélange ressemblant à de la semoule. Ajoutez le sucre en poudre.

3 Réservez une cuilleréc à soupe d'œuf battu pour badigeonner les biscuits. Ajoutez le reste de l'œuf à la préparation avec les graines de cumin et amalgamez le tout pour former une pâte souple.

4 Sur une surface légèrement farinée, roulez la pâte finement puis découpez 36 disques avec un emporte-pièce de 6 cm/ 2 ½ pouces.

5 Transférez les disques de pâte sur les plaques préparées, badigeonnez avec l'œuf réservé et saupoudrez de cassonade.

6 Faites cuire dans un four préchauffé à 160°C/ 325°F/ Thermostat 3, pendant 10-15 minutes, jusqu'à ce que les biscuits soient légèrement dorés et croustillants.

7 Laissez les biscuits refroidir sur une grille et conservez-les dans une boîte hermétique.

VARIANTE

Les graines de cumin ont un parfum délicat de noix et d'anis. Si vous ne les aimez pas, remplacez-les par des graines de pavot au goût moins prononcé.

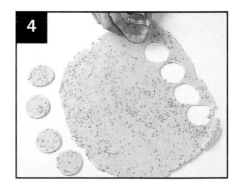

Cookies au beurre de cacahuète

*Ces biscuits croustillants seront très appréciés des enfants de tous âges
car ils contiennent leur ingrédient favori - le beurre de cacahuète.*

Pour 20 cookies

INGRÉDIENTS

125 g/ 4$^{1}/_{2}$ onces/ $^{1}/_{2}$ tasse de beurre,
  ramolli
150 g/ 5$^{1}/_{2}$ onces/ $^{1}/_{2}$ tasse de beurre
  de cacahuète granuleux
225 g/ 8 onces/ 1 tasse de sucre
  cristallisé

1 œuf, légèrement battu
150 g/ 5$^{1}/_{2}$ onces/ 1$^{1}/_{4}$ tasses de farine
$^{1}/_{2}$ cuil. à café de levure chimique

pincée de sel
75 g/ 2$^{3}/_{4}$ onces de cacahuètes nature
  non salées, concassées

1 Beurrez légèrement deux plaques
à pâtisserie.

2 Dans un grand saladier, battez
ensemble le beurre et le beurre
de cacahuète.

3 Ajoutez progressivement le
sucre cristallisé et battez pour
bien mélanger.

4 Ajoutez progressivement l'œuf
battu jusqu'à ce que vous obteniez
un mélange homogène.

5 Tamisez la farine, la levure
chimique et le sel dans la
préparation au beurre de cacahuète.

6 Ajoutez les cacahuètes et
amalgamez tous les ingrédients
pour former une pâte souple.
Enveloppez la pâte et réfrigérez environ
30 minutes.

7 Façonnez 20 boules de pâte et
disposez-les sur les plaques préparées
à environ 5 cm/ 2 pouces l'une de l'autre
pour leur laisser la place de s'étaler.
Aplatissez-les légèrement avec la main.

8 Faites cuire dans un four
préchauffé à 190°C/ 375°F/
Thermostat 5, pendant 15 minutes,
jusqu'à ce que les cookies soient bien
dorés. Transférez les biscuits sur une
grille et laissez refroidir.

MON CONSEIL

*Pour que ces cookies
soient croustillants et
lustrés, saupoudrez-les
de cassonade avant de
les passer au four.*

Pavés aux noisettes

Ces pavés se préparent rapidement pour agrémenter le goûter.
Les noisettes concassées peuvent être remplacées par tout autre type de noix de votre choix.

Pour 16 pavés

INGRÉDIENTS

150 g/ 5¹/₂ onces/ 1¹/₄ tasses de farine
pincée de sel
1 cuil. à café de levure chimique

100 g/ 3¹/₂ onces/ ¹/₃ tasse de beurre,
coupé en petits morceaux
150 g/ 5¹/₂ onces/1 tasse de sucre roux
1 œuf, battu
4 cuil. à soupe de lait

100 g/ 3¹/₂ onces/ 1 tasse de noisettes,
coupées en deux
cassonade, pour saupoudrer (facultatif)

1 Beurrez un moule à gâteau carré de 23 cm/ 9 pouces et garnissez le fond de papier sulfurisé.

2 Tamisez la farine, le sel et la levure chimique dans un grand saladier.

3 Incorporez le beurre en l'effritant avec les doigts jusqu'à ce que vous obteniez un mélange ressemblant à de la semoule. Ajoutez le sucre roux.

4 Ajoutez l'œuf, le lait et les noisettes à ce mélange et remuez bien pour obtenir une pâte homogène.

5 Versez la pâte dans le moule préparé et lissez la surface. Saupoudrez de cassonade, au choix.

6 Faites cuire dans un four préchauffé à 180°C/ 350°F/ Thermostat 4, environ 25 minutes ou jusqu'à ce que le gâteau soit ferme au toucher lorsque vous appuyez avec le doigt.

7 Laissez refroidir 10 minutes, puis dégagez les bords avec un couteau à lame arrondie et démoulez sur une grille. Coupez en pavés.

VARIANTE

Pour un biscuit pause-café, remplacez le lait par la même quantité de café froid, noir et fort (le plus fort possible !)

Flapjacks à la noix de coco

Dégustés le jour même, ces flapjacks moelleux sont parfaits pour le goûter.

Pour 16 barres

INGRÉDIENTS

200 g/ 7 onces/ 1 tasse de beurre
200 g/ 7 onces/ 1^1/$_3$ tasses de cassonade

2 cuil. à soupe de mélasse raffinée
275 g/ 9^1/$_2$ onces/ 3^1/$_2$ tasses de flocons d'avoine
100 g/ 3^1/$_2$ onces/ 1 tasse de noix de coco séchée

75 g/ 2^3/$_4$ onces/ ^{1}/$_3$ tasse de cerises confites, hachées

1 Beurrez légèrement une plaque à pâtisserie de 33 x 23 cm/ 12 x 9 pouces.

2 Faites chauffer le beurre, la cassonade et la mélasse raffinée dans une grande casserole jusqu'à ce que le beurre soit juste fondu et le sucre dissous.

3 Ajoutez les flocons d'avoine, la noix de coco séchée et les cerises confites et mélangez bien pour obtenir une pâte homogène.

4 Étalez la pâte sur la plaque à pâtisserie et tassez-la avec le dos d'une spatule pour obtenir une surface lisse.

5 Faites cuire environ 30 minutes dans un four préchauffé à 170°C/ 325°F/ Thermostat 3.

6 Sortez du four et laissez refroidir 10 minutes sur la plaque à pâtisserie.

7 Coupez le gâteau en rectangles avec un couteau tranchant.

8 Transférez délicatement les flapjacks sur une grille et laissez refroidir complètement.

MON CONSEIL

Il est préférable de conserver les flapjacks dans une boîte hermétique et de les manger dans la semaine qui suit. Ils peuvent également être congelés jusqu'à un mois.

Biscuits aux flocons d'avoine et aux raisins secs

Ces biscuits fruités au goût d'avoine sont délicieux servis avec une tasse de thé !

Pour 10 biscuits

INGRÉDIENTS

50 g/ 1³/4 onces/ 10 cuil. à café de beurre
125 g/ 4¹/2 onces/ ¹/2 tasse de sucre en poudre
1 œuf, battu

50 g/ 1³/4 onces/ ¹/2 tasse de farine
¹/2 cuil. à café de sel
¹/2 cuil. à café de levure chimique

175 g/ 6 onces/ 2 tasses de flocons d'avoine
125 g/ 4¹/2 onces/ ³/4 tasse de raisins secs
2 cuil. à soupe de graines de sésame

1 Beurrez légèrement deux plaques à pâtisserie.

2 Dans un grand saladier, mélangez le beurre et le sucre jusqu'à ce que vous obteniez une crème pâle et aérée.

3 Ajoutez progressivement l'œuf battu et mélangez en battant la préparation pour bien incorporer.

4 Tamisez la farine, le sel et la levure chimique dans cette crème. Mélangez bien.

5 Ajoutez les flocons d'avoine, les raisins secs et les graines de

sésame et mélangez parfaitement le tout.

6 Disposez des cuillerées de pâte bien espacées les unes des autres sur les plaques préparées et aplatissez-les légèrement avec le dos d'une cuillère.

7 Faites cuire 15 minutes dans un four préchauffé à 180°C/ 350°F/ Thermostat 4.

8 Laissez les biscuits refroidir légèrement sur les plaques à pâtisserie.

9 Transférez les biscuits sur une grille et laissez refroidir complètement avant de servir.

VARIANTE

Remplacez les raisins secs par des abricots secs prêts à l'emploi, hachés, selon votre préférence.

MON CONSEIL

Pour apprécier au mieux ces biscuits, conservez-les dans une boîte hermétique.

Biscuits au romarin

L'idée d'utiliser des herbes aromatiques dans cette recette de biscuits croustillants ne doit surtout pas vous rebuter – essayez et la surprise n'en sera que plus agréable.

Pour environ 25 biscuits

INGRÉDIENTS

50 g/ 1³/₄ onces/ 10 cuil. à café de beurre, ramolli
4 cuil. à soupe de sucre en poudre
zeste râpé d'un citron
4 cuil. à soupe de jus de citron

1 œuf, jaune et blanc séparés
2 cuil. à café de romarin frais, finement haché
200 g/ 7 onces/ 1³/₄ tasses de farine, tamisée

sucre en poudre, pour saupoudrer (facultatif)

1 Beurrez légèrement deux plaques à pâtisserie.

2 Dans un grand saladier, mélangez le beurre et le sucre jusqu'à ce que vous obteniez une crème pâle et aérée.

3 Ajoutez le zeste de citron et le jus, puis le jaune d'œuf et battez le tout pour obtenir un mélange homogène. Ajoutez le romarin frais haché.

4 Ajoutez la farine tamisée, et mélangez bien pour obtenir une pâte souple. Enveloppez la pâte et réfrigérez 30 minutes.

5 Sur une surface légèrement farinée, roulez la pâte finement et découpez 25 disques à l'aide d'un emporte-pièce de 6 cm/ 2¹/₂ pouces. Disposez les disques de pâte sur les plaques préparées.

6 Dans un saladier, battez légèrement le blanc d'œuf. Badigeonnez délicatement la surface de chaque biscuit de blanc d'œuf, puis saupoudrez d'un peu de sucre en poudre.

7 Faites cuire environ 15 minutes dans un four préchauffé à 180°C/ 350°F/ Thermostat 4.

8 Transférez les biscuits sur une grille et laissez refroidir avant de servir.

MON CONSEIL

Conservez les biscuits dans une boîte hermétique jusqu'à une semaine.

VARIANTE

À la place du romarin frais, utilisez une cuillerée à café et demie de romarin séché, selon votre préférence.

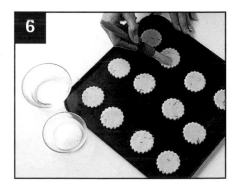

Croissants de lune au citron

*Pour une gâterie sucrée, essayez ces biscuits
au goût délicieusement citronné.*

Pour environ 25 biscuits

INGRÉDIENTS

100 g/ 3¹/₂ onces/ ¹/₃ tasse de beurre, ramolli

75 g/ 2³/₄ onces/ ¹/₃ tasse de sucre en poudre

1 œuf, jaune et blanc séparés

200 g/ 7 onces/ 1³/₄ tasses de farine

zeste râpé d'une orange

zeste râpé d'un citron

zeste râpé d'un citron vert

2-3 cuil. à soupe de jus d'orange

sucre en poudre, pour saupoudrer (facultatif)

1 Beurrez légèrement deux plaques à pâtisserie.

2 Dans un saladier, mélangez le beurre et le sucre jusqu'à ce que vous obteniez une crème pâle et aérée puis ajoutez progressivement le jaune d'œuf.

3 Tamisez la farine dans cette crème et mélangez le tout pour obtenir une préparation homogène. Ajoutez les zestes d'orange, de citron et de citron vert avec suffisamment de jus d'orange pour obtenir une pâte souple.

4 Roulez la pâte sur une surface légèrement farinée. Découpez des disques à l'aide d'un emporte-pièce de 7,5 cm/ 3 pouces ; puis formez des croissants en découpant ¹/₄ de chaque disque. Roulez à nouveau les restes de pâte pour obtenir environ 25 croissants au total.

5 Posez les croissants sur les plaques préparées. Piquez la surface de chaque croissant avec une fourchette.

6 Battez légèrement le blanc d'œuf dans un petit saladier et badigeonnez-en le dessus des biscuits. Saupoudrez de sucre en poudre supplémentaire, au choix.

7 Faites cuire 12-15 minutes dans un four préchauffé à 200°C/ 400°F/ Thermostat 6. Laissez les biscuits refroidir sur une grille avant de servir.

MON CONSEIL

Conservez les croissants de lune au citron dans une boîte hermétique. Vous pouvez aussi les congeler et les consommer dans le mois qui suit.

Jumbles au citron

Ces biscuits citronnés moelleux seront d'autant plus originaux
si vous les saupoudrez de sucre glace avant de servir.

Pour environ 50 biscuits

INGRÉDIENTS

100 g/ 3¹/₂ onces/ ¹/₃ tasse de beurre, ramolli

125 g/ 4¹/₂ onces/ ¹/₂ tasse de sucre en poudre

zeste râpé d'un citron
1 œuf, battu
4 cuil. à soupe de jus de citron
350 g/ 12 onces/ 3 tasses de farine

1 cuil. à café de levure chimique
1 cuil. à soupe de lait
sucre glace, pour saupoudrer

1 Beurrez légèrement plusieurs plaques à pâtisserie.

2 Dans un saladier, mélangez le beurre, le sucre en poudre et le zeste de citron jusqu'à ce que vous obteniez une crème pâle et aérée.

3 Ajoutez l'œuf battu et le jus de citron progressivement, en battant bien après chaque addition.

4 Tamisez la farine et la levure chimique dans cette crème et amalgamez le tout. Ajoutez le lait, en mélangeant pour former une pâte.

5 Déposez la pâte sur un plan de travail légèrement fariné et divisez-la en 50 morceaux égaux.

6 Roulez chaque morceau de pâte en forme de saucisse avec les mains et torsadez en deux pour former un "S".

7 Posez les biscuits sur les plaques préparées et faites cuire 15-20 minutes dans un four préchauffé à 170°C/ 325°F/ Thermostat 3. Laissez refroidir complètement sur une grille. Saupoudrez de sucre glace avant de servir.

VARIANTE

Si vous préférez, vous pouvez donner aux biscuits d'autres formes – lettres de l'alphabet ou formes géométriques – ou même en faire des biscuits ronds.

Pinwheels au chocolat et au citron

Ces biscuits impressionnants feront la surprise de vos invités
quant aux ingrédients mystérieux qui leur donnent un goût si exotique !

Pour environ 40 biscuits

INGRÉDIENTS

175 g/ 6 onces/ ³/₄ tasse de beurre,
  ramolli
300 g/ 10¹/₂ onces/ 1¹/₃ tasses de sucre
  en poudre

1 œuf, battu
350 g/ 12 onces/ 3 tasses de farine

25 g/ 1 once de chocolat noir, fondu et
  légèrement refroidi
zeste râpé d'un citron

1 Beurrez et farinez plusieurs plaques à pâtisserie.

2 Dans un grand saladier, mélangez le beurre et le sucre jusqu'à ce que vous obteniez une crème pâle et aérée.

3 Ajoutez progressivement l'œuf battu à cette crème, en battant bien après chaque addition.

4 Tamisez la farine dans cette crème et mélangez le tout pour obtenir une pâte souple.

5 Transférez la moitié de la pâte dans un autre saladier et ajoutez-y le chocolat fondu refroidi.

6 Dans l'autre moitié de pâte, ajoutez le zeste de citron râpé.

7 Sur une surface légèrement farinée, roulez les deux morceaux de pâte en rectangles de même taille.

8 Mettez la pâte au citron sur la pâte au chocolat. Roulez la pâte serré pour former un boudin, en utilisant une feuille de papier sulfurisé pour vous guider. Laissez la pâte refroidir au réfrigérateur.

9 Coupez la pâte ainsi roulée en 40 tranches environ. Disposez ces tranches sur les plaques à pâtisserie et faites-les cuire dans un four préchauffé à 190°C/ 375°F/ Thermostat 5, pendant

10-12 minutes ou jusqu'à ce que les biscuits soient légèrement dorés. Transférez les biscuits sur une grille et laissez refroidir complètement avant de servir.

MON CONSEIL

Pour étaler la pâte plus facilement, placez
chaque morceau de pâte entre deux feuilles
de papier sulfurisé.

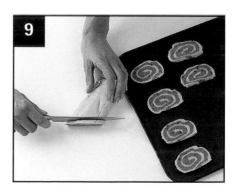

Cookies au chocolat blanc

*Ces gros biscuits fondent dans la bouche
et le chocolat blanc leur donne un parfum délicieusement riche.*

Pour 24 cookies

INGRÉDIENTS

125 g/ 4^{1}/$_{2}$ onces/ ^{1}/$_{2}$ tasse de beurre, ramolli

125 g/ 4^{1}/$_{2}$ onces/ ^{3}/$_{4}$ tasse de sucre roux

1 œuf, battu

200 g/ 7 onces/ 1^{3}/$_{4}$ tasses de farine avec poudre levante

pincée de sel

125 g/ 4^{1}/$_{2}$ onces de chocolat blanc, coupé en gros morceaux

50 g/ 1^{3}/$_{4}$ onces de noix du Brésil, concassées

1 Beurrez légèrement plusieurs plaques à pâtisserie.

2 Dans un grand saladier, mélangez le beurre et le sucre pour obtenir une crème pâle et aérée.

3 Ajoutez progressivement l'œuf battu à cette crème, en battant bien après chaque addition.

4 Tamisez la farine et le sel dans cette crème et mélangez bien.

5 Ajoutez les morceaux de chocolat blanc et les noix du Brésil.

6 Déposez des cuillerées à café débordantes de pâte sur les plaques préparées. Ne mettez pas plus de six cuillerées de pâte sur chaque plaque car les cookies s'étalent considérablement pendant la cuisson.

7 Faites cuire dans un four préchauffé à 190°C/ 375°F/ Thermostat 5, pendant 10-12 minutes ou jusqu'à ce qu'ils soient juote dorés.

8 Transférez les cookies sur des grilles et laissez refroidir complètement avant de servir.

VARIANTE

Utilisez du chocolat noir ou au lait à la place du chocolat blanc, selon votre préférence.

Sablés en éventail

*Ces biscuits conviennent parfaitement au goûter ou pourront être servis
avec de la glace pour créer un dessert particulièrement délicieux.*

Pour 8 sablés

INGRÉDIENTS

125 g/ 4¹/₂ onces/ ¹/₂ tasse de beurre,
ramolli

40 g/ 1¹/₂ onces/ 8 cuil. à café de sucre
cristallisé

25 g/ 1 once/ 8 cuil. à café de sucre
glace

225 g/ 8 onces/ 2 tasses de farine
pincée de sel

2 cuil. à café d'eau de fleurs d'oranger
sucre en poudre pour saupoudrer

1 Beurrez légèrement un moule
à gâteau rond peu profond de
20 cm/ 8 pouces.

2 Dans un grand saladier,
mélangez le beurre, le sucre
cristallisé et le sucre glace jusqu'à ce
que vous obteniez une crème pâle
et aérée.

3 Tamisez la farine et le sel dans
cette crème. Ajoutez l'eau de
fleurs d'oranger et amalgamez le tout
pour former une pâte souple.

4 Sur une surface légèrement
farinée, roulez la pâte en une
abaisse de 20 cm/ 8 pouces et placez-la
dans le moule. Piquez la pâte plusieurs
fois et découpez-la en huit segments
avec un couteau à lame arrondie.

5 Faites cuire dans un four
préchauffé à 160°C/ 300°F/
Thermostat 2, pendant 30-35 minutes
ou jusqu'à ce que le biscuit soit
légèrement doré et croustillant.

6 Saupoudrez de sucre glace, puis
coupez le long des lignes déjà
marquées pour obtenir des sablés en
forme d'éventails.

7 Laissez les sablés refroidir avant de
les sortir du moule. Conservez-les
dans une boîte hermétique.

MON CONSEIL

*Pour les rendre plus croustillants,
saupoudrez le dessus des sablés de deux
cuillerées à soupe de noix et noisettes mélangées
concassées, avant de les mettre au four.*

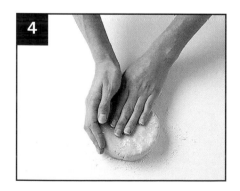

Sablés de millionnaire

Ces sablés riches en forme de pavés sont recouverts de caramel
et garnis de chocolat pour en faire des gâteries particulièrement fondantes !

Pour 12 barres

INGRÉDIENTS

175 g/ 6 onces/ 1¹/₂ tasses de farine
125 g/ 4¹/₂ onces/ ¹/₂ tasse de beurre,
    coupé en petits morceaux
50 g/ 1³/₄ onces/ 3 cuil. à soupe de
    sucre roux, tamisé

GARNITURE :
50 g/ 1³/₄ onces/ 10 cuil. à café de
    beurre
50 g/ 1³/₄ onces/ 3 cuil. à soupe de
    sucre roux

400 g/ 14 onces de lait condensé en
    boîte
150 g/ 5¹/₂ onces de chocolat au lait

1 Beurrez un moule à gâteau carré de 23 cm/ 9 pouces.

2 Tamisez la farine dans un saladier et incorporez le beurre en l'effritant avec les doigts jusqu'à ce que vous obteniez un mélange ressemblant à de la semoule. Ajoutez le sucre et amalgamez le tout pour former une pâte ferme.

3 Tassez la pâte dans le fond du moule préparé et piquez avec une fourchette.

4 Faites cuire dans un four préchauffé à 190°C/ 375°F/

Thermostat 5, pendant 20 minutes, jusqu'à ce que le biscuit soit légèrement doré. Laissez refroidir dans le moule.

5 Pour la garniture, placez le beurre, le sucre et le lait condensé dans une casserole antiadhésive et faites cuire à feu doux, en remuant constamment jusqu'à ébullition.

6 Réduisez la chaleur et faites cuire 4-5 minutes jusqu'à ce que le caramel soit légèrement doré et épais et se détache des parois de la casserole. Versez cette garniture sur le fond de sablé et laissez refroidir.

7 Lorsque la garniture au caramel est ferme, faites fondre le chocolat au lait dans un récipient résistant à la chaleur placé au-dessus d'une casserole d'eau frémissante. Étalez le chocolat fondu sur la garniture, et laissez durcir dans un endroit frais, puis découpez le biscuit en pavés ou en tranches minces avant de servir.

MON CONSEIL

Assurez-vous que la couche de caramel ait refroidi et durci complètement avant de la recouvrir de chocolat fondu, pour empêcher que les deux ne se mélangent.

Petits cœurs à la vanille

Cette recette rappelle les sablés classiques fondant dans la bouche.
Ici, les biscuits sont présentés en forme de jolis cœurs pour le plaisir de tous.

Pour environ 16 petits cœurs

INGRÉDIENTS

225 g/ 8 onces/ 2 tasses de farine
150 g/ 5^1/$_2$ onces/ ^{2}/$_3$ tasse de beurre,
   coupé en petits morceaux

125 g/ 4^1/$_2$ onces/ ^{1}/$_2$ tasse de sucre en
   poudre
1 cuil. à café d'extrait de vanille

sucre en poudre, pour saupoudrer

1 Beurrez légèrement une plaque à pâtisserie.

2 Tamisez la farine dans un grand saladier et incorporez le beurre en l'effritant avec les doigts jusqu'à ce que vous obteniez un mélange ressemblant à de la semoule.

3 Ajoutez le sucre en poudre et l'extrait de vanille et amalgamez le tout avec les mains pour former une pâte ferme.

4 Sur une surface légèrement farinée, roulez la pâte à une épaisseur de 2,5 cm/ 1 pouce.

Découpez 12 cœurs à l'aide d'un emporte-pièce en forme de cœur mesurant environ 5 cm/ 2 pouces de large et 2,5 cm/ 1 pouce de haut.

5 Disposez les petits cœurs sur la plaque préparée. Faites cuire dans un four préchauffé à 180°C/ 350°F/ Thermostat 4, pendant 15-20 minutes, jusqu'à ce que les cœurs soient légèrement dorés.

6 Transférez les petits cœurs à la vanille sur une grille et laissez-les refroidir. Saupoudrez d'un peu de sucre en poudre juste avant de servir.

MON CONSEIL

Mettez une gousse de vanille fraîche dans votre sucre en poudre et conservez-le ainsi dans un bocal plusieurs semaines pour donner au sucre un délicieux goût de vanille.

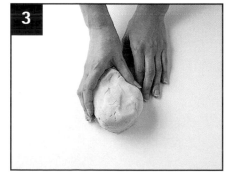

Petits rochers

Ces petits rochers sont plus conséquents qu'un biscuit croustillant.
Servez-les dès la sortie du four pour les apprécier davantage.

Pour 8 rochers

INGRÉDIENTS

200 g/ 7 onces/ 1³/₄ tasses de farine
2 cuil. à café de levure chimique
100 g/ 3¹/₂ onces/ ¹/₃ tasse de beurre,
   coupé en petits morceaux

75 g/ 2³/₄ onces/ ¹/₃ tasse de cassonade
100 g/ 3¹/₂ onces/ ¹/₂ tasse de raisins
   secs

25 g/ 1 once/ 2 cuil. à soupe de cerises
   confites, finement hachées
1 œuf, battu
2 cuil. à soupe de lait

1 Beurrez légèrement une plaque à pâtisserie.

2 Tamisez la farine et la levure chimique dans un saladier. Incorporez le beurre en l'effritant avec les doigts jusqu'à ce que vous obteniez un mélange ressemblant à de la chapelure.

3 Ajoutez le sucre, les raisins secs et les cerises confites hachées.

4 Ajoutez l'œuf battu et le lait et mélangez le tout pour former une pâte souple.

5 À l'aide d'une cuillère, disposez huit tas de pâte sur la plaque à pâtisserie, en les espaçant bien car ils vont s'étaler pendant la cuisson.

6 Faites cuire dans un four préchauffé à 200°C/ 400°F/ Thermostat 6, pendant 15-20 minutes, jusqu'à ce que les rochers soient fermes au toucher lorsque vous appuyez avec le doigt.

7 Enlevez les rochers de la plaque à pâtisserie. Servez soit très chaud dès la sortie du four ou transférez sur une grille et laissez refroidir avant de servir.

MON CONSEIL

Pour vous faciliter la tâche, préparez les ingrédients secs à l'avance et incorporez le liquide juste avant la cuisson.

Brownies au chocolat

*Choisissez un chocolat de bonne qualité pour ces brownies
afin de leur donner un goût riche pas trop sucré.*

Pour 12 brownies

INGRÉDIENTS

150 g/ 5¹/₂ onces de chocolat noir,
  cassé en morceaux
225 g/ 8 onces/ 1 tasse de beurre,
  ramolli
225 g/ 8 onces/ 2 tasses de farine avec
  poudre levante

125 g/ 4¹/₂ onces/ ¹/₂ tasse de sucre en
  poudre
4 œufs, battus
75 g/ 2³/₄ onces de pistaches,
  concassées

100 g/ 3¹/₂ onces de chocolat blanc,
  coupé en gros morceaux
sucre glace, pour saupoudrer

1 Beurrez légèrement un moule
à gâteau de 23 cm/ 9 pouces et
garnissez-le de papier sulfurisé.

2 Faites fondre le chocolat noir et le
beurre dans un récipient résistant
à la chaleur placé sur une casserole d'eau
frémissante. Laissez refroidir légèrement.

3 Tamisez la farine dans un autre
saladier et ajoutez-y le sucre
en poudre.

4 Ajoutez les œufs à la préparation
au chocolat, puis versez cette
préparation dans le mélange de farine et

de sucre, en battant bien. Ajoutez
les pistaches et le chocolat blanc, puis
versez la préparation dans le moule en
l'étalant bien jusque dans les coins.

5 Faites cuire dans un four
préchauffé à 180°C/ 350°F/
Thermostat 4, pendant 30-35 minutes,
jusqu'à ce que les brownies soient
fermes au toucher. Laissez refroidir
dans le moule 20 minutes, puis
démoulez sur une grille.

6 Saupoudrez de sucre glace et
coupez en 12 morceaux une
fois refroidi.

MON CONSEIL

*Ces brownies ne seront
pas tout à fait fermes au milieu
à la sortie du four, mais ils le
deviendront en refroidissant.*

Biscottis au chocolat

Ces biscuits sont délicieux servis
avec le café à la fin d'un repas.

Pour 16 biscottis

INGRÉDIENTS

1 œuf
100 g/ 3^{1}/$_2$ onces/ ^{1}/$_3$ tasse de sucre en
   poudre
1 cuil. à café d'extrait de vanille

125 g/ 4^{1}/$_2$ onces/ 1 tasse de farine
^{1}/$_2$ cuil. à café de levure chimique
1 cuil. à café de cannelle en poudre

50 g/ 1^{3}/$_4$ onces de chocolat noir, coupé
   en gros morceaux
50 g/ 1^{3}/$_4$ onces d'amandes effilées,
   grillées
50 g/ 1^{3}/$_4$ onces de pignons

1 Beurrez une grande plaque à pâtisserie.

2 Battez l'œuf, le sucre et l'extrait de vanille dans un saladier avec un mixeur électrique jusqu'à ce que vous obteniez une crème épaisse et pâle – des rubans de crème doivent couler du fouet lorsque vous le soulevez.

3 Tamisez la farine, la levure chimique et la cannelle dans un autre saladier, puis tamisez ces ingrédients secs dans la préparation aux œufs en les incorporant délicatement. Ajoutez le chocolat, les amandes et les pignons.

4 Déposez cette pâte sur une surface légèrement farinée et formez une bûche plate d'environ 23 cm/ 9 pouces de long et 1,5 cm/ ^{3}/$_4$ pouce de large. Placez sur la plaque préparée.

5 Faites cuire dans un four préchauffé à 180°C/ 350°F/ Thermostat 4, pendant 20-25 minutes ou jusqu'à ce que la bûche soit dorée. Sortez du four et laissez refroidir 5 minutes ou jusqu'à ce que la bûche soit ferme.

6 Transférez la bûche sur une planche à découper. À l'aide d'un couteau à pain, coupez la bûche

en tranches d'environ 1 cm/ ^{1}/$_2$ pouce d'épaisseur en diagonale et disposez-les sur la plaque à pâtisserie. Faites cuire 10-15 minutes en les retournant à mi-cuisson.

7 Laissez refroidir environ 5 minutes, puis transférez les biscottis sur une grille pour les laisser refroidir complètement.

MON CONSEIL

Conservez les biscottis dans une boîte hermétique ou dans un bocal et dégustez-les dans les deux semaines.

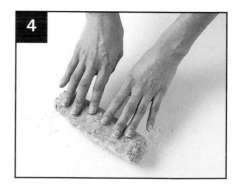

Macarons au chocolat

Ces macarons classiques et moelleux sont toujours appréciés au goûter :
ils sont encore meilleurs grâce à l'ajout de chocolat noir riche.

Pour 18 macarons

INGRÉDIENTS

75 g/ 2³/₄ onces de chocolat noir, cassé
   en morceaux
2 blancs d'œufs

pincée de sel
200 g/ 7 onces/ 1 tasse de sucre en
   poudre

125 g/ 4¹/₂ onces/ 1¹/₄ tasses de poudre
   d'amandes
noix de coco séchée, pour saupoudrer
   (facultatif)

1 Beurrez deux plaques à pâtisserie et garnissez-les de papier sulfurisé ou de papier de riz.

2 Faites fondre le chocolat noir dans un petit récipient résistant à la chaleur placé au-dessus d'une casserole d'eau frémissante. Laissez refroidir légèrement.

3 Dans un saladier, battez les blancs d'œufs en neige avec une pincée de sel.

4 Ajoutez progressivement le sucre en poudre dans les blancs d'œufs, puis incorporez les amandes et le chocolat fondu refroidi.

5 Disposez des cuillerées à café débordantes de pâte sur les plaques préparées en les espaçant bien et étalez-les en cercles d'environ 6 cm/ 2½ pouces de diamètre. Saupoudrez de noix de coco séchée, au choix.

6 Faites cuire dans un four préchauffé à 150°C/ 300°F/ Thermostat 2, environ 25 minutes ou jusqu'à ce que les macarons soient fermes.

7 Laissez refroidir avant de soulever délicatement des plaques. Transférez sur une grille et laissez refroidir complètement avant de servir.

MON CONSEIL

Conservez les macarons dans une boîte hermétique et mangez-les dans la semaine qui suit.

VARIANTE

Pour un fini traditionnel, placez une moitié de cerise confite sur chaque macaron avant de les mettre au four.

Florentins

Ces biscuits somptueux seront appréciés à n'importe quel moment de l'année
et tout particulièrement à Noël.

Pour 8-10 florentins

INGRÉDIENTS

50 g/ 1³/₄ onces/ 10 cuil. à café de
beurre
50 g/ 1³/₄ onces/ ¹/₄ tasse de sucre en
poudre
25 g/ 1 once/ ¹/₄ tasse de farine,
tamisée

50 g/ 1³/₄ onces/ ¹/₃ tasse d'amandes,
concassées
50 g/ 1³/₄ onces/ ¹/₃ tasse d'écorces
confites mélangées, hachées
25 g/ 1 once/ ¹/₄ tasse de raisins secs,
hachés

25 g/ 1 once/ 2 cuil. à soupe de cerises
confites, hachées
zeste finement râpé d'un demi-citron
125 g/ 4¹/₂ onces de chocolat noir,
fondu

1 Garnissez deux grandes plaques à pâtisserie de papier sulfurisé.

2 Faites chauffer le beurre et le sucre en poudre dans une petite casserole jusqu'à ce que le beurre soit tout juste fondu et le sucre dissous. Retirez la casserole du feu.

3 Ajoutez la farine et mélangez bien. Ajoutez les amandes concassées, les écorces confites mélangées, les raisins secs, les cerises confites et le zeste de citron. Placez des cuillerées à café de cette pâte sur les plaques à pâtisserie en les espaçant bien les unes des autres.

4 Faites cuire dans un four préchauffé à 180°C/ 350°F/ Thermostat 4, pendant 10 minutes ou jusqu'à ce que les florentins soient légèrement dorés.

5 À leur sortie du four, laissez les florentins sur les plaques à pâtisserie et, à l'aide d'un emporte-pièce, découpez les bords pour leur donner une forme bien finie. Laissez refroidir sur les plaques à pâtisserie jusqu'à ce que les florentins soient fermes puis transférez-les sur une grille pour qu'ils refroidissent complètement.

6 Tartinez le côté lisse de chaque florentin de chocolat fondu. Lorsque le chocolat commence à durcir, dessinez dessus des lignes en forme de vagues à l'aide d'une fourchette. Laissez les florentins durcir, côté chocolat dessus.

VARIANTE

Remplacez le chocolat noir par du chocolat blanc ou pour un effet plus sensationnel, garnissez une moitié de florentin de chocolat noir et l'autre moitié de chocolat blanc.

Meringues

Grâce à cette recette vous réaliserez des meringues de rêve –
légères comme l'air tout en étant croustillantes et fondantes.

Pour environ 13 meringues

INGRÉDIENTS

4 blancs d'œufs
pincée de sel
125 g/ 4¹/₂ onces/ ¹/₂ tasse de sucre
    cristallisé

125 g/ 4¹/₂ onces/ ¹/₂ tasse de sucre en
poudre

300 ml/ ¹/₂ pinte/ 1¹/₄ tasses de crème
épaisse, légèrement fouettée

1 Garnissez trois plaques à pâtisserie de feuilles de papier sulfurisé.

2 Dans un grand saladier propre, battez les blancs d'œufs en neige ferme avec une pincée de sel à l'aide d'un fouet électrique à main. (Les blancs ne doivent pas bouger lorsque vous retournez le saladier.)

3 Ajoutez progressivement le sucre cristallisé en fouettant ; la meringue doit prendre à ce stade un aspect brillant.

4 Saupoudrez progressivement le sucre en poudre et continuez de fouetter jusqu'à ce que tout le sucre ait été incorporé et que la meringue soit épaisse, blanche et très ferme.

5 Transférez la meringue dans une poche munie d'une douille de 2 cm/ ³/₄ pouce en forme d'étoile. Disposez environ 26 petits tourbillons de meringue sur les plaques préparées.

6 Faites cuire dans un four préchauffé à 120°C/ 250°F/ Thermostat ¹/₂, pendant 1 h 30 ou jusqu'à ce que les meringues soient légèrement dorées et se soulèvent facilement du papier. Laissez les meringues refroidir dans le four éteint toute la nuit.

7 Juste avant de servir, collez les meringues par deux avec la crème et dressez-les sur un plat de service.

VARIANTE

Pour une texture plus fine,
remplacez le sucre cristallisé par
du sucre en poudre.

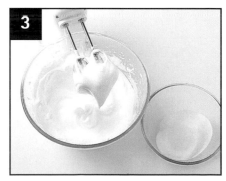

Index